La caixa de joies

Jordi Dausà Mascort

Primera edició, maig de 2010
© Marta Mas Prats i Albert Vilagrasa Grandia, 2010,
per la direcció de la col·lecció
© Jordi Dausà Mascort, 2010, pel text
© Pep Brocal, 2010, per les il·lustracions
Disseny: Blanca Hernández

La propietat d'aquesta edició és de
Publicacions de l'Abadia de Montserrat.
Ausiàs Marc, 92-98, 08013 Barcelona

ISBN: 978-84-9883-263-1
Dipòsit legal: B.14.894-2010
Imprès a Tallers Gràfics Soler, S.A.
Enric Morera, 15, 08950 Esplugues de Llobregat

CAPÍTOL 1

ACCIDENT MORTAL
A L'ENTRADA SUD DE LA CIUTAT

El matrimoni Vallcoberta mor en estavellar-se el seu vehicle

Ahir a les onze de la nit el matrimoni Vallcoberta va perdre la vida en un accident de cotxe a l'entrada sud de la ciutat. El xofer del vehicle va sofrir ferides greus, però va poder sortir-ne amb vida.

Els motius de l'accident encara es desconeixen, però segons la policia el cotxe segurament va topar contra una paret de roca després de patinar per culpa del terra glaçat. El senyor i la senyora Vallcoberta van morir a l'acte i el xofer va poder sortir del vehicle i demanar ajuda. Quan van arribar l'ambulància i la policia van trobar el matrimoni mort i el xofer ferit i en estat de xoc.

La notícia ha afectat molt els habitants de la ciutat, especialment les persones relacionades amb el món de l'art: el matrimoni Vallcoberta, una parella estimada per tothom, cada any organitzava festes a casa seva, gales benèfiques i ajudava pintors, músics i escriptors. Justament la nit de l'accident tornava d'organitzar una gala benèfica al Teatre de l'Òpera.

L'enterrament serà demà dissabte a les dotze del migdia a l'església de Sant Pau. El matrimoni no tenia fills. La familiar més directa és la germana de la senyora Vallcoberta, que ha rebut moltes visites i mostres de condol, i ha demanat intimitat.

El cel era de color taronja i els núvols eren grossos i liles. Semblava una foto d'una revista de viatges. L'Executiu encara duia la roba de la feina: americana i pantalons, camisa i corbata. Com cada dia, abans de sopar, va anar a passejar amb en Roy, un animal fort amb el pèl llarg, negre i lluent. Caminaven a la vora del riu que passava pel mig de la ciutat. Normalment hi baixava poca aigua, però amb les pluges de l'estiu anava ple. L'aigua no era gaire neta. A l'Executiu li agradava passejar cada vespre perquè així es relaxava molt. A l'oficina tenien molts problemes i maldecaps, i sempre estava nerviós i estressat. «Treballa massa», li deia sempre el metge. «Cal que faci bondat. Si no, es posarà malalt i haurà de demanar la baixa». Però ell mai l'escoltava: no tenia temps per fer bondat. També tenia problemes amb la seva exdona: des que es van separar, un any enrere, ella li demanava molts diners i la casa. No sabia com solucionar-ho. El seu matrimoni no va durar gaire, perquè ell estava obsessionat per la feina i ella, pels diners i la vida fàcil, plena de comoditats.

L'Executiu va veure un grup de joves mal vestits sota un dels ponts del riu. Duien gorres i roba esportiva de colors molt vius. Parlaven cridant, fumaven i bevien llaunes de cervesa. El gos es va parar a prop seu, els va olorar i l'Executiu va dir:

—Anem, Roy, deixa'ls estar.

Els joves el van mirar i un d'ells va escopir a terra. «Quin fàstic», va pensar l'Executiu. No li agradava aquella gent ni aquell barri: els pisos eren petits i vells, i hi havia molts cotxes, motos i molt soroll. Els carrers eren bruts i els bars eren plens de fum. Els edificis eren alts, tots molt semblants, i la llum del sol no hi arribava bé. Però era un barri a prop del centre de la ciutat, i el pis que va llogar —la seva exdona, de moment, vivia a la casa que van comprar quan es van casar— era força barat. Tenia pocs diners i s'hi havia de conformar mentre durava el judici per la separació.

Va parar-se on començava el bosc. Era un lloc solitari perquè de cop i volta s'acabaven els edificis i el ciment, i començaven els arbres i les plantes. Aquell petit bosc semblava una illa verda dins de la ciutat i el riu era com un camí entre aquells dos mons tan diferents.

Com era habitual, va trobar-hi el seu grup. Sempre es veien a la mateixa hora i al mateix lloc, tots amb els seus gossos. No sabia els noms d'aquelles persones, però sabia coses de cadascuna. La noia, de trenta-cinc o trenta-sis anys, era infermera. Era bonica i sexi, tenia els cabells llisos, d'un color marró que a vegades semblava taronja i els duia molt llargs. Sempre feia cara de dormir poc, anava vestida amb molt de gust —faldilles o texans de marca i samarretes de colors vius—, tenia una veu suau i semblava tenir un caràcter agradable. La seva gossa, la Nuca, tenia el pèl del mateix color dels seus cabells. Era un setter de mida mitjana. L'Home Coix, que era el més gran de tots quatre, potser tenia seixanta anys, no sabia de què treballava. Tenia els cabells grisos i els duia curts, i sempre duia roba vella de color marró o gris, però es veia molt net; era molt educat i semblava un home molt respectable. Caminava amb un bastó de color negre i fumava cigarretes d'una marca estrangera. L'aspecte del Nen era com el de tots els adolescents. En realitat no era un nen, potser tenia divuit o dinou anys, però era tan prim i tímid que semblava més jove. Devia ser estudiant. Tenia la pell molt blanca i es vestia com la gent de la seva edat: vambes negres i altes, pantalons curts que deixaven veure els calçotets, samarretes amb dibuixos i gorra de diferents colors. Mai mirava a la cara quan parlava, i no parlava gaire sovint. Semblava angoixat, trist i deprimit, mai se'l veia somriure.

Tots quatre es trobaven al final de la ciutat i els gossos jugaven una estona. Els animals eren amics i els agradava córrer per l'aigua i perseguir-se.

Mentrestant, els seus propietaris parlaven del temps que feia, de les coses que passaven pel món i, sobretot, dels gossos. No tenien gaires coses a dir-se perquè no es tenien confiança ni es coneixien prou. Amb tot, es feien companyia en un lloc tan solitari. De fet, l'únic element que els unia eren els gossos.

—Bona tarda, què hi ha? —va preguntar l'Executiu amb un somriure de venedor d'aspiradores.

—Hola, com va?! —va respondre la Infermera també amb un somriure. Semblava contenta de veure'l.

L'Home Coix va saludar-lo amb una mà, però no va dir res. Amb l'altra aguantava el seu gos, petit i gris com una rata, i a la boca hi tenia una cigarreta. El Nen tampoc va dir res. Tirava la pilota de tennis al riu i el seu gos, el Dick, un animal més aviat gros, amb les potes gruixudes i el pèl llarg i molt clar, l'hi tornava. Era l'únic gos que, a vegades, no jugava amb els altres. Tots els gossos s'assemblaven als seus propietaris.

L'Executiu, l'Home Coix i la Infermera van passar l'estona dient frases convencionals sobre el temps: «Sembla que l'estiu s'acaba. Quin ruixat ha fet aquesta nit. Encara hi ha molts núvols. Potser plourà demà...». Tots tres van estar d'acord de seguida: ja no feia xafogor i a la nit havien de dormir amb una manta prima. «Aquest ha estat un estiu molt calorós», va dir el més vell del grup, l'Home Coix, que no recordava un estiu amb tanta calor i tantes pluges com aquell. Però la tardor ja s'acostava: l'aire era més fresc i alguns arbres del bosc començaven a tenir les fulles una mica grogues.

Aleshores el van veure: era un home baix, calb, amb bigoti i la cara vermella. Tenia els ulls petits i foscos, com els d'un animal. Mirava a terra, després els va mirar a ells i es va endinsar al bosquet. El veien de tant en tant. Era curiós veure algú gran caminant sol per aquell bosc, on normalment només es veien persones que passejaven els gossos o anaven a córrer.

L'Executiu va explicar que el veia de tant en tant pel barri, entrant o sortint dels bars.

—Ja el tenim aquí —va dir l'Executiu.

—Sí, no m'agrada gens —va contestar la Infermera—. Vés a saber què deu fer! Sempre tan solitari.

—Amaga alguna cosa —va continuar l'Executiu—. La gent que té secrets sempre mira a terra. Estic segur que amaga alguna cosa. Ja en podeu estar ben segurs.

—Potser és un assassí que enterra les seves víctimes al bosc —va dir irònicament la noia.

—Sí, potser sí —va afirmar l'Executiu, amb un somriure.

—Sí que esteu de broma! Pobre home! —va dir l'Home Coix mentre apagava la cigarreta amb el peu —. Jo el conec del barri i la gent en parla malament, però ja sabeu com és la gent.

L'Executiu no podia saber-ho: feia poc temps que vivia al barri i no coneixia, ni volia conèixer, gaire gent. La Infermera també venia d'un altre lloc. Només el Nen i l'Home Coix vivien allà de feia temps. El Nen sortia poc de casa, de manera que tampoc coneixia ningú.

—Em sembla que et mira a tu —va dir l'Executiu a l'Home Coix.
—A mi, per què?
—Sí, segur: et mirava a tu. No m'equivoco mai amb aquestes coses.
—Potser em coneix del barri. És normal, jo el conec a ell... —va dir l'Home Coix.
—Què hi deu fer aquí al bosc? Que busca espàrrecs? O cargols? —va comentar el Nen.

L'home baix, calb i amb bigoti va estar-se cinc minuts dins del bosc i després en va sortir. Semblava trist i enfadat al mateix temps. Va mirar-los una altra vegada, va dir una cosa en veu baixa i va marxar.

—Que desagradable! —va dir, molt fluix, la Infermera, i va fer cara de fàstic.
—Diuen que... —va començar a dir l'Home Coix— ...aquest home...

Va callar de cop i va fer que no amb el cap.

—Què diuen? Explica, explica! —va dir l'Executiu.
—Res, són històries velles i segurament són mentida.

Els altres el van mirar, sorpresos.

—Quines històries? Per què no ens les expliques? —va demanar la Infermera.
—Sí, jo també tinc ganes de saber-les! —va dir l'Executiu.
—He dit que no! —va respondre bruscament l'Home Coix.

Els seus dos companys van callar i es va quedar amb la boca oberta. Tots quatre estaven una mica incòmodes, sense dir res, en silenci; fins que van sentir el gos del Nen que bordava molt fort.

—Vine aquí, Dick! —va cridar.

El Nen va entrar al bosc perseguint el gos.

—Em sembla que el gos d'aquest noi té problemes —va dir l'Home Coix.

—Anem a veure què passa —la Infermera va agafar la seva gossa i va entrar al bosc.

L'Executiu va seguir-la, i més enrere hi va anar l'Home Coix, que caminava més a poc a poc.De seguida van trobar el Nen i el gos. Eren al costat d'una planta alta amb fruits petits, rodons i vermells, i el gos estava fent un forat a terra.

—Què li passa? Què fa? —va preguntar l'Executiu.

—Sembla que està buscant un os —va contestar el Nen.

—Sí. O el cos d'una persona enterrada, oi? —va dir l'Executiu mirant la Infermera.

La noia va riure. Sempre reia quan l'Executiu feia alguna broma, encara que no fes gaire gràcia.

—No feu broma amb els morts. Deixeu-los en pau. Tots acabarem sota terra algun dia —va cridar l'Home Coix.

L'Executiu i la Infermera van quedar molt sorpresos de la reacció que va tenir l'Home Coix. Fins i tot el Nen es va girar i se'l va mirar espantat. Es van quedar en silenci fins que el Nen va dir:

—Mireu, en Dick ha trobat una cosa.
—Sembla una fusta. És una cosa de fusta.
—Potser la pluja l'ha desenterrat i per això el gos l'ha vist. Com que aquesta nit ha plogut a bots i barrals... —va dir l'Home Coix, una mica avergonyit de la seva reacció.
—Què és?
—No ho sé. Em sembla que és una caixa.

El Nen va agafar el gos pel collar perquè se'l veia nerviós i es movia molt.

—Tranquil, Dick. Seu!

Tots quatre es van acostar al forat i van mirar dins.

Capítol 2

Era una caixa de fusta, ni grossa ni petita, més aviat allargada, feia uns vint centímetres d'alta i uns quaranta d'ampla. Era de color marró fosc, amb dibuixos de flors i plantes. Semblava molt vella i pesava força.

Hi va haver un silenci. Només se sentia el soroll de l'aigua del riu i de les fulles dels arbres. Era un bosc petit i agradable, molt net. No hi anava gaire gent i no hi havia deixalles a terra. L'estiu de l'any passat hi va haver molts incendis i un va ser a prop del bosc, però al final no es va cremar. Tothom deia que era un incendi provocat, però mai van agafar ningú.

—Deu ser una caixa de música. La meva àvia en tenia una de molt semblant —va dir la Infermera.
—Vols dir? Què hi pot fer una caixa de música enterrada aquí? —va preguntar el Nen.
—Obriu-la —va ordenar l'Executiu—. A veure què hi ha dins.
—No la toqueu! —va cridar el Nen, i va saltar enrere de forma força ridícula—. Potser és una bomba. Podria haver-hi droga. O coses pitjors!

Tothom el va mirar en silenci. El Nen va sentir que es posava vermell. Era molt vergonyós i va mirar a terra. Les galtes i les orelles li cremaven.

—Però, què dius? Quina bestiesa! —va dir finalment l'Executiu, molt seriós; es va ajupir i va agafar la caixa. Semblava enfadat. Era un home acostumat a tenir el que volia—. No diguis ximpleries. Ara mateix l'obriré.

I va obrir la caixa. Sense voler el Nen es va tapar la cara amb els braços, es va girar d'esquena i va xisclar. No va passar res. En Dick, el seu gos, li va llepar la cama i el Nen a poc a poc va aixecar el cap. Fins i tot els gossos s'estaven quiets al costat del seus amos, amb les orelles ben dretes. L'Executiu, la Infermera i l'Home Coix estaven drets al voltant de la caixa, tots amb les boques i els ulls molt oberts.

—No pot ser! —va dir l'Executiu.
—Que fort! —va cridar la Infermera.
—Caram! —va exclamar l'Home Coix.

El Nen s'hi va acostar molt lentament. Tenia una barreja de por, curiositat i vergonya. Va mirar dins la caixa. Hi va veure moltes joies: collarets, anells, arracades i braçalets. Algunes duien brillants o pedres precioses verdes o vermelles, altres eren d'or, de plata... Semblaven molt valuoses.

—Són de debò? —va preguntar amb veu baixa el Nen.

Ningú va respondre. Al cap d'una estona de silenci la Infermera va dir:

—I tant que sí. Que fort, no m'ho puc creure!
—La meva dona tenia joies semblants... —va afegir l'Home Coix amb veu trista.
—Què hi fan aquí aquestes joies? —va preguntar l'Executiu.
—Potser algú les ha perdut —va respondre el Nen, sense gaire seguretat.
—Perdut? Si estan enterrades és que algú les ha deixat aquí expressament —va dir la Infermera.
—O les han robat i després les han amagat... —va dir l'Home Coix.

Els quatre gossos, cansats perquè els seus amos no els feien cas, jugaven una mica més avall. Un ocell enorme i blanc va baixar fins a l'aigua per pescar algun peix. En aquella zona els peixos eren lents, grassos i lletjos. El Nen, en veure l'ocell, va fer una ganyota: no li agradaven aquelles bèsties tan grosses. Li feien molt fàstic.

—És impossible perdre una caixa plena de joies. Segur que valen milers d'euros. Mireu aquesta maragda, sembla una poma —va dir la Infermera mentre jugava amb un collaret llarg i fi que al mig tenia una pedra verda i enorme.

—Semblen joies antigues. Fixeu-vos en el disseny —va dir l'Executiu.

—Sí, tens raó —va assegurar la noia mentre mirava un anell ple de diamants—. Són joies velles i molt cares.

—Segur que són molt valuoses —va comentar l'Home Coix—. Les pluges han desenterrat una mica la caixa i el gos n'ha pogut sentir l'olor. Estic d'acord que són joies velles. Hem d'avisar la policia.

Tots tres se'l van mirar.

—Aquestes joies valen molts diners —va continuar—. Cal buscar-ne la propietària i tornar-li la caixa de seguida.

Es van posar a parlar al mateix temps. El Nen, una mica apartat, es preguntava què podia fer. Tenia por, però també estava emocionat per saber com acabaria aquella història. Una part d'ell volia marxar corrent i l'altra volia quedar-se. El problema del Nen era aquest: dubtava sempre de tot. Feia temps que volia dir al seu pare que no li agradaven les dones, sinó els homes, però no sabia com fer-ho. En realitat se sentia atret per l'Executiu, però encara no ho tenia gaire clar. No li agradava estudiar, però no s'atrevia a plegar. Cada vegada que havia de decidir una cosa tenia problemes i li venien ganes de plorar. A la seva edat moltes persones ja eren madures i prenien decisions difícils, però el Nen preferia tancar-se a la seva habitació i navegar per Internet.

—I si són d'aquest home tan estrany? El calb amb bigoti, que hem vist abans —va preguntar la Infermera—. Potser busca les joies i per això ha entrat al bosc. Podria ser: és un home una mica misteriós.

—Quina imaginació que tens! Primer enterrava morts, ara enterra joies. I què més enterrarà? —va riure l'Executiu.

—No, no són seves. Segur —va tallar l'Home Coix—. Són joies de dona rica, i aquest home no té ni ha tingut dona. És solter i pobre.

—I si les va robar? Potser és un lladre i les va amagar al bosc —va continuar la Infermera.

—I vostè, com ho sap? Segur que sap coses que no ens vol explicar... —va dir l'Executiu, adreçant-se a l'Home Coix.

—Mireu, jo només sé que aquest home és solter i que no té diners. La resta són coses que la gent diu, i segurament són falses. No podem fer cas de totes les ximpleries que sentim, oi?

L'Executiu se'l va quedar mirant, desconfiat. El Nen i la Infermera no sabien què dir, de manera que es van quedar en silenci. Al final la noia va parlar.

—Bé, i ara què farem?

Capítol 3

Des de la mort de la seva dona que ningú sabia gaires coses de l'Home Coix. Era una persona molt tancada. Era del barri i no li agradava gaire sortir de casa seva: mai anava a prendre cafè, ni seia als bancs del carrer com feia la gent de la seva edat. De tant en tant parlava amb els seus veïns, perquè era una persona educada, però quasi mai explicava res de la seva vida. Tampoc era tafaner. Només parlava del temps que feia i de coses poc importants. A vegades s'estava tot el dia dins del pis i només sortia per anar al cementiri, que hi havia a prop del bosquet on passejava amb el gos, a veure la tomba de la seva dona. La gent gran la recordava: era una noia alta, rossa i bonica, amb una piga sobre el llavi. Deien que semblava una actriu americana. La noia rossa i bonica va morir molt jove, encara no tenia trenta anys, d'una malaltia del cor, que no era gens freqüent. Es van gastar tots els diners que tenien, fins i tot van vendre's les joies i el cotxe, però cap metge d'aquí la va saber curar. L'única esperança era un metge que treballava a l'estranger, però era massa car. Al final la noia va morir i l'Home Coix es va quedar molt sol. Estava desesperat, desanimat i deprimit, i no volia sortir de casa. Segons sembla, no va sortir de casa en tres mesos, fins que els veïns, preocupats, el van convèncer que havia de sortir i refer la seva vida. De mica en mica es va anar animant i va començar a sortir a passejar. Un dia, prop de casa hi va trobar un gos petit abandonat i se'l va emportar a casa. La companyia del gos el va ajudar, però mai més es va relacionar amb ningú i el seu caràcter va canviar radicalment. Es va tornar una persona solitària i poc sociable. Feia temps que no treballava, estava jubilat, i cobrava una petita quantitat de diners que li passava el govern cada mes. A banda d'això, cap veí en sabia res més. Era una persona trista, no reia quasi mai i no tenia amics.

Tots quatre discutien. No sabien què fer amb la caixa de joies.

—L'hem de portar a la policia —va tornar a dir l'Home Coix.

—Per què? —va preguntar l'Executiu—. La caixa és molt vella i la fusta està feta malbé. Fa temps que és aquí. A les joies només hi ha un nom, «Maria». Hi ha moltes dones que es diuen Maria, milers de dones. Serà impossible trobar-la, aquesta Maria. També hi ha dates, mireu. Les joies no són tan antigues com pensàvem, però segur que deuen valer molts diners.

—Això és veritat —hi va estar d'acord la Infermera—. Però què vols que fem? Ens les quedem nosaltres?

L'Executiu de seguida ho va trobar bé.

—Per què no? Segur que fa anys que aquesta caixa és aquí i nosaltres l'hem trobat sense voler. Ningú més ho sap. Podem repartir-nos les joies. No ens farem rics, però guanyarem alguns diners. Ara mateix a mi em fan molta falta. La meva exdona vol que li doni fins i tot els calçotets, em vol arruïnar.

—No ens la podem quedar —va dir l'Home Coix, molt seriós—. Aquesta caixa deu tenir un propietari i l'hem de dur a la policia. No sabem si són robades o si algú les amaga aquí, però és igual: hem de dir-ho a la policia.

—Sap què en farà, la policia? —va preguntar l'Executiu—. Les posarà en un magatzem ple d'objectes perduts i es quedaran allà per sempre més. Si no és que se les queda la mateixa policia.

—M'és igual. Però no ens les podem quedar. No són nostres.

El Nen no deia res i mirava tothom amb els ulls molt oberts. Estava fet un embolic i una mica espantat, tenia ganes de tornar a casa seva i asseure's davant l'ordinador. Com sempre, no sabia què fer. La vida era molt senzilla dins la seva habitació. La Infermera tampoc sabia què dir. Pensava que l'Home Coix tenia raó, però no volia contradir l'Executiu i, d'altra banda, necessitava diners. En part tenia ganes de tornar les joies perquè no eren seves, però el que deia l'Executiu era veritat: feia anys que aquella caixa estava amagada allà i segurament la seva propietària ja era morta.

—Jo crec que la caixa és d'aquell home calb que hem vist abans. Encara que no tingui dona, podrien ser de la seva mare —es va atrevir a dir el Nen.

Tots se'l van mirar una mica sorpresos perquè no estaven acostumats a sentir-lo. L'Home Coix va fer que no amb el cap. Es començava a fer fosc i es van posar nerviosos. Encara no sabien què fer. Van veure passar un cotxe de policia amb els llums blaus encesos. Es van mirar els uns als altres i es van sentir malament, com lladres.

—La policia! Què hi fa aquí? —va saltar el Nen amb les galtes blanques de por.

—Cada dia passen pel barri, és normal. Em sembla que controlen aquell grup de joves. Crec que venen droga. No ens espantem, no fem res de dolent —va explicar l'Executiu amb veu tranquil·la.

—No estic gaire còmoda —va dir la Infermera, i va tornar a deixar les joies a la caixa. Vull anar a casa.

—Jo també —va afegir el Nen.

Fins i tot l'Executiu semblava indecís.

—Si no voleu anar a la policia, busquem una altra solució. Podem quedar aquí demà a la mateixa hora i en tornem a parlar —va dir l'Home Coix—. Us sembla bé? Deixem les joies enterrades on eren i ens tornem a trobar demà. Així aquesta nit hi podem pensar...

Aquella solució era bona. Ningú sabia què fer. Potser l'endemà, després de dormir, podrien veure les coses més clares.

—D'acord —va dir la Infermera.

—Em sembla bé —va dir, molt fluix, el Nen.

L'Executiu no hi va estar d'acord.

—Us penseu que sóc idiota? Qui m'assegura que no vindreu més tard i les agafareu? —va exclamar l'Executiu.

—Tens raó. No ens coneixem de res. Qualsevol de nosaltres pot venir a buscar-les —va dir la Infermera.

—És veritat, no és gaire bona idea —va dir l'Home Coix—. Doncs que algú se les quedi fins demà. Si voleu, ja me les quedo jo. No us faré cap mala passada.

L'Executiu va riure.

—Et penses que som ximples? Per què, tu? En tot cas, les guardaré jo.

—Tu vols les joies, jo les vull dur a la policia. Si te les quedes tu potser les vendràs demà mateix i no et tornarem a veure mai més. Jo, a la policia, les hi puc dur qualsevol dia. No tinc cap pressa perquè no les necessito.

El Nen va pensar que si algú havia de quedar-se-les era ell, perquè va ser ell qui les va trobar. Aquest pensament el va fer sentir culpable. Va estar a punt de quedar-se en silenci però al final es va decidir a parlar.

—Les joies les he trobat jo... —va aconseguir dir tímidament. Com sempre, no els va mirar als ulls.

—Què vols dir? Que hi tens més dret? Les joies no són de cap de nosaltres, ni tampoc teves. Tu te les vols quedar i comprar drogues, com tots els joves! —va contestar-li l'Home Coix escopint fum de cigarreta. El Nen va intentar contestar, però no se li va acudir res.

—Què proposeu? No ens podem quedar tots quatre aquí, mentre pensem què fer —va exclamar la Infermera.

—Per què no? —va preguntar l'Executiu amb un somriure forçat.

—Perquè jo treballo a la nit, tinc guàrdia a l'hospital. Tu no et fies de nosaltres, però em sembla que ningú es fia de ningú.

—Doncs... així què? —va demanar l'Home Coix, una mica més tranquil.

Hi va haver un moment de silenci. Tots quatre es miraven desconfiats. De sobte la Infermera va fer una nova proposta.

—Ja ho tinc! Que algú de nosaltres es quedi la caixa, però a canvi els altres es quedaran la seva cartera. Així segur que tornarà.

—Avui jo no duc la cartera al damunt —va dir l'Home Coix.

—Ni jo —van dir el Nen i l'Executiu.

—Ostres! Jo tampoc —va dir la Infermera, remenant-se les butxaques.

Es van quedar una estona pensant. Al final al Nen se li va acudir una solució.

—I el gos? Podem canviar la caixa pel gos: qui es quedi la caixa, deixa el seu gos.

—I si el que s'ha quedat el gos i el que té les joies es posen d'acord i se les reparteixen? —va preguntar l'Executiu—. Sou una colla d'ingenus!

L'Home Coix va aixecar un dit.

—Tinc una solució. Jo em quedo la caixa de les joies, però ens intercanviem tots els gossos. És a dir, jo em quedo el teu gos —va dir assenyalant la Infermera—. Tu, noia, et quedes el seu gos —va dir assenyalant l'Executiu—. I tu, et quedes el gos d'ell —va dir assenyalant el Nen—. Tu, noi, et quedes el meu gos. Per recuperar els gossos i les joies ens hem de trobar tots.

Encara que ningú no es fiava de ningú, la solució semblava més o menys bona. D'altra banda, no en tenien cap de millor. A la Infermera, l'Home Coix, li semblava una bona persona; el Nen no el trobava tan autoritari com l'Executiu, i l'Executiu pensava que aquell home no s'atreviria a trair-los: no semblava prou valent.

Es van acomiadar, però abans es van donar el número dels mòbils, per si tenien algun problema amb els gossos. Van quedar de trobar-se l'endemà a les sis en punt.

Capítol 4

Quan la Infermera va arribar a casa seva estava molt atabalada per tota la situació i també estava nerviosa perquè era el primer cop que se separava de la Nuca. El Roy, el gos de l'Executiu, va llepar-li la mà: era un animal intel·ligent i de seguida es va adonar que la Infermera estava preocupada i necessitava companyia. La Infermera va posar aigua per al gos, després va anar al bany per treure's les lents de contacte i per escollir unes ulleres per anar a treballar. En tenia moltes, de totes mides i colors. «Quines es posaria?». Va triar-ne unes de petites i vermelles, molt primes. Es va mirar al mirall, preocupada: li començaven a sortir arrugues al voltant dels ulls i dels llavis. Va agafar un pot de crema de l'armariet i va posar-se'n per tota la cara. Les arrugues encara hi eren. Va decidir que seria millor agafar unes ulleres més grosses.

—Quin desastre! M'estic fent gran —va dir en veu baixa, i li van venir ganes de plorar. Se sentia molt sola.

Va entrar a la cuina i va obrir la nevera. Era quasi buida: només hi havia dos o tres ous, uns quants iogurts i un enciam que tenia un color marró molt lleig. Per sopar es va preparar dos ous ferrats. Al congelador hi va trobar mitja bossa de patates congelades, les va treure i les va fregir. Al damunt hi va tirar salsa de tomàquet. Per postres es va menjar una taronja, l'única fruita que va trobar. Sabia que era un sopar poc saludable, però començava a treballar a l'hospital dues hores més tard i necessitava energia perquè es passava tota la nit de guàrdia, desperta. Quan va acabar de menjar, va encendre una cigarreta i es va preparar una infusió. Tothom li deia que els metges i les infermeres no havien de fumar, però ella no podia deixar-ho. Era massa difícil i l'únic plaer que encara li quedava. Es va asseure al sofà, va fumar i es va beure la infusió calenta. Hi havia molt silenci, al seu apartament. El silenci no li agradava i va engegar el televisor. Feien les notícies. Mirava les imatges, però no escoltava el que deien. Va començar a recordar la història de la caixa i dels seus companys de secret. Trobava a faltar molt la seva gossa. «Què devia fer, pobreta, a casa d'aquell home?» Va mirar el gos de l'Executiu i es va preguntar si ell el trobava a faltar. En el fons estava contenta de tenir el gos de l'Executiu, perquè era com tenir-lo una mica a ell.

—Què fem, Roy? Tornem les joies o ens les quedem? —va preguntar al gos.

L'animal va bordar i ella va somriure i li va tocar el cap. Li agradava l'Executiu. Era un home ben plantat i elegant, encara que tenia un caràcter especial; a vegades era arrogant i poc respectuós, però se'l veia molt segur. I a més tenia raó, aquelles joies segurament no eren de ningú. Se les podien repartir, perquè allà amagades no servien per a res. També necessitava els diners: feia temps que treballava al mateix hospital, no guanyava gaire i s'ho gastava quasi tot. Sempre feia el torn de nit perquè pagaven una mica millor, però l'horari no era gaire bo. Començava a les deu de la nit i acabava a les vuit del matí. Anava a casa, es posava al llit i dormia fins a les tres o les quatre de la tarda. «Amb els diners de les joies podria fer el torn de dia», va pensar la noia mentre mirava el fum del tabac. Li agradava viatjar i feia temps que volia anar a Nova York amb dues amigues de la feina, també infermeres, totes dues separades. Ella també era separada, més o menys. Feia un any que el seu últim xicot la va deixar i mai va saber-ne exactament els motius. Era l'últim d'una llista llarga i amargant. La Infermera sovint es preguntava per què li passava allò a ella. «Era culpa seva o dels nois? Tenia mala sort o potser era culpa del seu caràcter? Què feia malament? Demanava massa?». S'imaginava què podria passar amb l'Executiu, potser ell era diferent.

«De moment», va pensar, «Nova York. Quan torni ja en parlarem, dels homes». Però per anar a Nova York necessitava diners. També tenia ganes de canviar de pis perquè aquell no li agradava. Era un pis vell i petit, amb les parets primes i els mobles antics i de mala qualitat. Alguns estaven una mica fets malbé. Hi havia poca llum i no podia obrir gaire estona les finestres perquè entrava brutícia del carrer. Els veïns del costat eren una parella amb un fill petit que plorava molt a totes hores. A dalt hi vivien un home i una dona d'uns quaranta anys, molt mal educats. Quasi sempre es barallaven i se sentia soroll de mobles que es movien i de coses que es trencaven. Amb els diners de les joies no podia comprar un pis nou, però sí que podia pagar el lloguer d'un lloc millor que aquell.

Les poques nits que es quedava a casa la Infermera sortia a fer una volta perquè aquell lloc era incòmode i el soroll la feia posar nerviosa. A vegades anava al teatre, al cinema o a prendre una copa amb les seves companyes; encara que la seva companyia la deprimia força. De tant en tant també anava a les discoteques perquè li agradava ballar. També li agradaven molt els sopars íntims, encara que feia temps que no en tenia cap. Somiava sopar davant del mar amb l'Executiu però no s'atrevia a demanar-l'hi. Ell no semblava gaire interessat en ella. «Potser em troba massa vella», pensava sempre. No era vella, però s'adonava que es començava a fer gran. Si volia tenir un fill no podia esperar gaire temps més.

Però per tenir fills, és clar, feia falta un home. En coneixia molts, però no s'imaginava amb cap d'ells. Molts eren com criatures, massa egoistes i infantils. D'altres estaven separats i no volien cap relació seriosa; potser era el que li passava a l'Executiu. No ho sabia, i ja estava cansada de fracassar tant. «El proper home», va pensar, «ha de ser per a tota la vida». Però ni ella mateixa s'ho acabava de creure. Pensar tot allò la feia sentir molt trista: el temps passava ràpid, molt ràpid, i ella no podia atrapar-lo. I el pitjor de tot era que no sabia com fer-ho. Va enfadar-se una mica quan es va adonar que sempre acabava pensant en el mateix, i es va repetir: «De moment, Nova York. Quan torni ja en parlarem, dels homes».

Va tornar a tocar el cap del gos.

—Amb els diners de les joies, Roy, podria anar a Nova York i pagar el lloguer d'un altre pis. Un de més nou i més bonic. Què et sembla?

El gos la va mirar amb el cap tort. Va pensar en la Nuca; feia dies que semblava fluixa i trista, potser estava malalta, pobra Nuca. També calia vacunar-la, tot era molt car. Va agafar el mòbil de la bossa i va trucar a l'Home Coix. Volia saber com estava la Nuca.

—Què vols? —va respondre ell. Feia una veu estranya, com si anés una mica borratxo.

—Bona nit! —la noia va intentar parlar amb veu dolça—. Li trucava per saber què fa la Nuca, com que està una mica malalta...

—No pateixis. Fa molts anys que tinc gos. Ja la cuido bé.

—D'acord, d'acord!

—Segur que només em truques per la gossa?

—Què vol dir? No l'entenc —va dir la noia.

—Res, res. Si no vols res més, ja ens veurem demà.

Quan va penjar el telèfon es va adonar que tenia un missatge de l'Executiu i el va obrir.

Què fa el Roy? Hi està bé, a casa teva? T'empipa gaire? Si has d'anar a la feina i no el vols deixar sol, te'l puc venir a buscar.

—Hi estàs bé, a casa meva, oi? —va preguntar al gos, mentre li tocava el cap. El gos li va llepar la mà.

La Infermera va sospirar i es va posar dreta. Va anar a la seva habitació, on només hi havia un llit, una tauleta petita, un mirall i dos armaris grossos. Va obrir-ne un, tot ple de roba. Es va posar un vestit d'estiu de color blanc i unes sandàlies del mateix color. Després va pensar que, com que començava a refrescar, potser tindria fred i es va posar uns texans i unes sabates. El Roy la va seguir caminant a poc a poc. Després va agafar la bossa amb la roba de l'hospital, pantalons i camisa de color verd i sabates còmodes, i va sortir de casa.

—Adéu, Roy. Tornaré aviat. Descansa i fes bondat.

Va caminar fins a la parada de l'autobús i quan va arribar es va asseure al costat d'una senyora vella amb els cabells grisos i llargs. Era elegant i anava molt ben vestida, però semblava trista i la Infermera es va preguntar per què ho estava. Duia un collaret i la Infermera va pensar que la propietària de les joies potser s'assemblava a aquella senyora gran. No sabien si era viva o morta, si les joies eren robades o no. Tot era estrany i complicat, i ella era una dona senzilla. Quin embolic! O potser sí que les joies eren d'aquell home calb amb bigoti que entrava i sortia del bosc. Potser era un lladre o un assassí, o totes dues coses. Aquella situació la feia sentir malament. Va pensar en el missatge de l'Executiu. Estava contenta d'haver rebut el missatge; potser sí que ell estava interessat en ella... o potser només es preocupava pel gos... o per les joies. Va treure un llibre de la bossa i va començar-lo a llegir. Era una novel·la de lladres i policies.

Després de parlar per telèfon amb la Infermera, l'Home Coix va entrar a casa seva i va lligar la Nuca a l'entrada. Venia del cementiri. Normalment hi anava al matí però aquell dia també va anar-hi a la nit. Volia consell, i sempre que necessitava consell hi anava. Va netejar la tomba de la seva dona, que ja era neta, i en veu alta li va explicar la història de les joies.

—No sé què he de fer amb aquestes joies —li va dir. A prop seu una senyora grassa se'l mirava amb cara de llàstima.

Dins del seu cap va sentir la veu de la seva dona. Era forta i clara, la sentia allà mateix. La veu va parlar i l'Home Coix, de cop, ho va entendre tot. No va dubtar ni un moment. Va tornar a casa i va buscar un retall de diari que guardava de feia temps dins d'una carpeta de cartró. Era vell, arrugat i de color groc. Calia vigilar de no estripar-lo. El va llegir. Tornar a reviure aquella vella història després de tants anys era un senyal. Amb molt de compte va posar-se el tros de diari a la butxaca i va somriure. Per fi sabia què havia de fer amb les joies: tornar-les a la seva propietària.

◇◇

Capítol 5

L'endemà l'Executiu es va llevar a les set en punt del matí, va esmorzar: un cafè amb llet, un entrepà petit de formatge i un suc de taronja. Va agafar el Dick, el gos del Nen, i se'n va anar a córrer trenta minuts pel costat del riu. El gos no corria com el seu i es va empipar. Va tornar a casa, es va dutxar amb aigua freda i a tres quarts de nou va anar a treballar. Encara estava emprenyat. Emprenyat perquè l'Home Coix tenia la caixa, perquè la Infermera tenia el Roy i perquè ell tenia aquella merda de gos del Nen. I sobretot perquè va ser l'Home Coix qui va trobar una solució i això li feia l'orgull. I a més no s'acabava de fiar d'aquella solució. Li feia molta ràbia haver de repartir-se les joies amb aquells altres que no coneixia de res. Aquelles joies valien molts diners. Potser podia trucar a l'Home Coix i arribar a un acord. El Roy ja el recuperaria d'alguna manera. «La Infermera seria fàcil de convèncer», va pensar mentre somreia.

Pensava en això mentre treballava, i potser per aquest motiu va ser un mal dia a la feina: cridava a tothom, s'equivocava calculant i perdia les coses. Per sort era una persona important dins l'oficina i per això ningú no li va dir res. A dos quarts de dues va dinar tot sol en un restaurant petit en comptes d'anar amb els seus companys com feia cada dia. Va menjar una amanida i un tros de pollastre a la planxa. A la tarda va tornar a l'oficina, però a dos quarts de quatre ja n'estava tip i va decidir anar al gimnàs. Necessitava cansar-se i va estar-hi una hora. Després de fer exercici, a dos quarts de cinc, es va dutxar, es va posar colònia i va anar a prendre un suc al bar del costat, un local petit i molt modern, amb decoració de fusta i de vidre. Allà va trobar-hi la Sofia. Era una noia mulata d'uns vint-i-cinc anys, alta i molt bonica, amb qui parlava de tant en tant. De nit la noia feia de cambrera en una discoteca molt coneguda i a les tardes treballava en una botiga de roba. L'Executiu tenia ganes de convidar-la a sopar en algun restaurant bo, de peix, i fer-li un regal bonic i car, però la seva exdona i el seu advocat se li quedaven tots els diners. «Amb les joies tot aniria bé», va pensar. Dins del seu cap les joies eren la solució a tots els seus problemes. Els diners li donaven poder, els diners ho arreglaven tot. De fet, els diners eren l'origen i la solució de tots els seus problemes.

—Hola! —va dir ell.

—Hola! —va respondre ella amb un somriure. Tenia els cabells arrissats, el nas petit i les dents molt blanques, era bonica de debò.

—Com va això? Com estàs?

—Bé —va respondre la noia—. Estava a punt de marxar. Tinc una mica de pressa perquè he d'anar a la botiga. Ja faig tard.

—Ah, ja… —va dir l'Executiu una mica decebut. I no va saber què més dir.

Li agradaven molt les dones i sabia tractar-les. Sabia que era un home guapo, atractiu i tenia un cos atlètic. Mai li deien que no. Les dones li anaven al darrere, hi estava acostumat; però aquella noia se li resistia. Per això tenia més ganes de tenir-la: era una dona difícil i ell estava una mica cansat de les noies fàcils. Sempre que la convidava la noia trobava alguna excusa.

—Hem d'anar a sopar un dia —va dir al final—. Han obert un restaurant molt bo a prop d'aquí. Fan cuina xinesa; serveixen molts plats. Diuen que és molt bo.

—M'agrada molt el menjar xinès, però és que ara estic molt ocupada, m'estic canviant de casa. Ja saps com són els trasllats, oi?

—Sí… —va dir ell mirant-se les sabates—. Escolta, vull convidar-te: què has pres?

—Ah, gràcies —va dir ella amb un somriure molt ben calculat: era una d'aquelles persones que practiquen els gestos davant d'un mirall—. Un cafè amb llet.

—Doncs estàs convidada.

Es van fer dos petons i es van separar a tres quarts cinc. L'Executiu mirava el rellotge tota l'estona, era un maniàtic de la puntualitat. Va provar de llegir el diari, però no es podia concentrar. Va pensar que era culpa del diari i en va agafar un altre, però li va passar el mateix: estava capficat i de molt mal humor. Quan va sortir del bar va donar un cop de peu a una paperera del carrer. La va tombar i totes les deixalles que hi havia dins van caure a terra.

—Merda! —va cridar.
—Mal educat! —li va dir una senyora vella—. Sembles una criatura!

Necessitava diners. Va tornar a casa seva, un pis petit i vell però ben decorat, amb el terra de fusta, cortines modernes i cuina brillant, i va mirar una estona la televisió. El gos del Nen era en un racó, el va cridar i no es va moure. A la televisió no feien res de bo i va provar de llegir. Estava nerviós i no es podia concentrar de cap manera. Al carrer se sentia soroll de cotxes, motos i camions i va pensar que aquell barri era una porqueria: tenia moltes ganes de marxar i tornar a casa seva. Trobava a faltar els restaurants de cuina japonesa, italiana i índia; els viatges i les botigues de roba cara. Abans de les vuit va lligar en Dick i tots dos van baixar fins al riu. Aquell gos anava brut i feia una mica de pudor. El Roy era molt més net. El rentava cada dos o tres mesos. No ho feia més sovint perquè el veterinari li va explicar que els gossos no es poden rentar gaire. Si no, el rentaria cada setmana: no suportava la brutícia ni la pols.

Quan l'Executiu va arribar els altres tres acabaven d'arribar.

—Bona tarda! —va dir.

—Hola! —van contestar els altres. Ningú somreia, com ho feien normalment. Semblava una reunió de feina o una visita a cal metge.

—Anem ràpid —va dir mentre deixava anar el gos, que de seguida se'n va anar a saludar el Nen i a jugar amb els altres animals; amb tots, menys la Nuca, que es va quedar al costat de la Infermera. Semblava enyorada, estava una mica pitjor que el dia anterior i tenia els ulls molt plorosos—. Què fem amb les joies?

—Encara no ho sé... —va respondre la Infermera que acaronava el seu animal—. Hi he pensat molt, però no sé què fer. La veritat és que necessito els diners, i si aquestes joies no són de ningú ens les podem quedar. Fa temps que tinc un parell de coses pensades i m'anirien bé alguns diners. Tinc por que si les duem a la policia es quedin per sempre més dins d'un armari o d'una caixa forta. Però hi ha una part de mi que les vol tornar, perquè si tenen una propietària segur que estarà contenta de tenir-les una altra vegada.

—És clar que sí. Les hem de tornar. Segur —va proposar l'Home Coix.

El Nen, com sempre, estava una mica apartat del grup, escoltava i esperava ser l'últim a dir-hi la seva.

—Doncs jo no ho vull —va protestar l'Executiu—. Ni sabem si existeix una propietària...

—Sí que existeix. Sé de qui són aquestes joies —va dir l'Home Coix—. O de qui eren.

Tots se'l van mirar, fins i tot els gossos.

—Què diu, ara? Com ho sap? —va preguntar la Infermera.

—Sempre ho he sabut. Sé de qui són les joies i sé qui és l'home calb.

—Doncs per què no ens ho diu d'una vegada?! —va cridar l'Executiu.

A poc a poc l'Home Coix va encendre una cigarreta. Va tossir unes quantes vegades i va començar a parlar.

—Fa molts anys a prop d'aquí hi vivia una parella sense fills. Es deien Vallcoberta. Potser coneixeu la casa on vivien, és a l'altra banda del bosc. Tenien molts diners i a la dona li agradaven les joies cares. Era gent coneguda a la ciutat. Un dia van tenir un accident de cotxe i van morir tots dos. Només el xofer en va sortir viu. La policia sospitava d'ell, potser va provocar l'accident per venjar-se dels seus amos o per quedar-se alguna de les seves propietats, però no en tenia cap prova. El xofer era una persona tancada, poc comunicativa i esquerpa, però semblava innocent. Al cap d'uns dies de l'accident la germana de la dona morta va buscar les joies i no les va trobar. Va comunicar-ho a la policia, que les va buscar pertot arreu sense trobar-les. Van tornar a interrogar el xofer, li van fer moltes preguntes. Van vigilar els seus moviments per si l'agafaven amb les joies, amagant-les o venent-les, però no van aconseguir trobar res. El van deixar estar. Alguna gent del barri creia que va ser ell qui va provocar l'accident; el consideraven un assassí i un lladre, i no s'hi acostaven. Els feia por. Al cap d'un temps tot es va oblidar. Tot s'oblida, al final. Mireu, aquí tinc una pàgina del diari que explica l'accident.

Va ensenyar el paper de color groc, però ningú el va agafar. El silenci era absolut, només se sentien les respiracions de les quatre persones i de la Nuca. No feia vent, i semblava que fins i tot el riu callava.

—I això què vol dir? —va preguntar l'Executiu.

L'Home Coix el va mirar.

—Que ets ximple? Que no ho entens? El xofer era l'home calb i aquestes són les joies de la dona rica —va afirmar, aixecant la bossa on portava la caixa de fusta amb les joies—. Segur que el calb les va robar i les va amagar aquí, per això el veiem tan sovint: ve a vigilar-les. Ha estat esperant que la gent, i sobretot la policia, s'oblidi del cas per recuperar les joies. No té pressa. No sé si ahir ens va veure amb la caixa. Si és així, no podem badar. És un mal home i pot fer qualsevol cosa per recuperar el seu tresor.

—Així, doncs, l'home calb va matar el matrimoni per quedar-se les joies? —va preguntar el Nen.

—Aquest home és un assassí. Ho hem de dir a la policia. Hem de dur-hi les joies. Això és molt greu —va dir la Infermera posant-se les mans a les galtes.

—Potser sí —va estar-hi d'acord el Nen, i va agafar el full de diari de les mans de l'Home Coix per llegir-lo.

L'Executiu es va quedar sense res a dir. Ara tot era diferent: aquelles joies tenien una propietària, no se les podien quedar. I a més, si l'home calb els va veure amb la caixa, corrien perill.

—Tu, deixa'm veure això —va dir, i va agafar el paper de les mans del noi.

Va llegir la notícia en silenci i quan va acabar va fer que sí amb el cap.

—Que fort! Però, vostè per què guardava aquest tros de diari? I per què no ens ho va dir ahir, això?

L'Home Coix va arronsar les espatlles.

—Ja us he dit que la parella de rics vivien a prop d'aquí, érem quasi veïns. Quan van morir tothom en parlava molt, i no sé per què vaig guardar el tros de diari. Ahir la història em va venir al cap i vaig recordar que tenia la notícia. No us en vaig dir res perquè volia estar-ne segur. No m'imaginava que algú podia trobar aquestes joies. Però una cosa tinc clara, ara que s'han trobat s'han de tornar.

—Deixa'm veure aquest full —va demanar la Infermera, i va llegir la notícia amb la boca oberta—. Bé, jo ara ho tinc molt clar. Segur que les joies són d'aquesta senyora que va morir a l'accident. Les hem de dur a la policia.

—Tinc un idea millor —va dir l'Home Coix mentre encenia una altra cigarreta—. La germana de la dona rica també viu a prop d'aquí. Si voleu, jo mateix li duré les joies. Primer m'asseguraré que no les han recuperat i que es tracta realment de les joies de la seva germana, però estic segur que ho són. La dona morta es deia Maria Vallcoberta, i Maria és el nom que hi ha gravat en algunes joies. Ho recordeu?

Tots van fer que sí amb el cap.

—Jo tampoc me'n refio gaire, de la policia. Ja en vam parlar ahir. Si els donem les joies les tancaran en una caixa forta i potser s'hi quedaran cinc anys abans que comencin a buscar-ne el propietari. Són lents i, si tenen dubtes, les joies es quedaran allà, o encara pitjor, algú se les quedarà. A més jo estic pendent d'un judici pel divorci i no vull està barrejat amb la policia. La meva exdona encara se n'aprofitaria. Si podem solucionar-ho nosaltres sols, millor. I, a més, en podem treure una recompensa —va dir l'Executiu, pensatiu.

—Sí, és cert. Farem una bona obra i potser la germana de la tal Maria ens ho agrairà econòmicament. Què us sembla? —va dir la Infermera, que en realitat estava segura que ningú els donaria les gràcies.

El Nen s'hi va mostrar d'acord de seguida. Era l'única cosa que podien fer. Però es va atrevir a dir:

—I per què les hi ha de portar vostè? Per què no ho puc fer jo, que vaig ser qui les va trobar.

—Perquè tu no saps qui és aquesta dona.

—Ja ho descobriré.

—No saps ni com començar. A més, tu insisteixes que les vas trobar tu, potser te les vols quedar, o et vols quedar tota la recompensa. O potser ja t'has posat d'acord amb algú. Amb ella? —va assenyalar la Infermera—. Sempre us aveniu, vosaltres. No sou de fiar. Ahir mateix em va trucar... no sé exactament què volia.

—Jo, jo... només volia saber com estava la Nuca —va comentar la Infermera.

L'Executiu i el Nen van mirar la Infermera un moment, desconfiats, mentre ella es posava vermella.

—Jo, en canvi, sempre he dit que calia tornar-les —va continuar l'Home Coix—. Sóc vell i no vull ni les joies ni els diners per a res. Només vull fer justícia.

—O potser tot ho ha fet per enganyar-nos. Ens vol fer creure que és bo, però en realitat se les vol quedar vostè.

—Compte amb el que dius, noi!

—Aquest noi té raó. Jo tampoc me'l crec —va intervenir l'Executiu—. Per tant, vagi amb compte vostè, vell!

Els dos homes es van mirar als ulls. Per un moment va semblar que es barallarien i la Infermera es va afanyar a posar pau.

—Tranquils. No ens barallem entre nosaltres. Tinc una idea millor. Per què no li duem les joies tots junts?

El Nen va dir que ho trobava bé. L'Executiu va tancar la boca molt fort, però no va dir res. L'Home Coix va dir que era una bona idea. Llavors la Infermera va continuar.

—Bé, però ara és molt tard. No podem presentar-nos a casa d'aquesta senyora a aquestes hores, de cop i volta. I a més, nosaltres estem massa atabalats i enfadats per fer alguna cosa junts. Si us sembla bé les hi durem demà. Descansem i demà a la tarda, més tranquils, acabem amb aquest maldecap. Aquesta nit, fem com ahir: vostè es queda la caixa i ens tornem a canviar els gossos. Quedem demà aquí a les sis de la tarda?

CAPÍTOL 6

El primer que va fer el Nen quan va arribar a casa va ser deixar
el gos del vell al jardí i engegar l'ordinador. Tenia una habilitat
especial per a les màquines. Per a ell els ordinadors eren fàcils, ben
al contrari que les persones.

La màquina era vella i va haver d'esperar-se una estona. «Amb
els diners de les joies», va pensar el Nen, «podria comprar-me un
ordinador millor que aquest, un de més nou. També una consola
de videojocs i un reproductor». L'ordinador era a la seva habitació,
sobre una taula de fusta pintada de color blanc, plena de papers
i llibretes. A les parets hi havia pòsters de grups de música i de
dibuixos animats japonesos. Hi havia roba sobre el llit i a terra, i
també llibres i còmics. El Nen era una persona desordenada.

Va obrir el xat i va veure que hi havia un amic seu connectat, en
Tomàs. Eren companys de classe i el Nen el trobava guapo: era
alt, fort, segur de si mateix. «Això és el que també m'agrada de
l'Executiu», va pensar. Aquest tipus d'home l'atreia. En Tomàs
jugava molt bé a bàsquet. Ell, en canvi, no es veia capaç de fer
cap esport. Tenia molts complexos: alguns dies es veia massa alt,
d'altres massa prim, o amb massa grans a la cara. Creixia de forma
desordenada i a vegades tenia la sensació que estava fet de parts
enganxades de diferents persones. Aquests dies s'enfadava molt
amb ell mateix, es tancava a la seva habitació i no en volia sortir.
També era una persona malaltissa, sempre estava constipat, fins i
tot a l'estiu, i molt sovint tenia mal de cap perquè passava massa
estona davant la pantalla.

El Nen i en Tomàs parlaven molt pel xat, però quan es trobaven a l'institut quasi mai es deien res. El Nen va asseure's davant l'ordinador i va escriure «Hola». En Tomàs va respondre i va preguntar «Com anem?».

Peter> Bé.

«Peter» era el nom que el Nen feia servir quan navegava per Internet. Era el nom real del seu heroi preferit, l'Home Aranya. Li agradava aquell personatge perquè tenia una edat semblant a la seva i també tenia molt mala sort. En Tomàs feia servir Tommy_92.

Tommy_92> Avui a classe semblaves preocupat.

El Nen va dubtar abans d'escriure. Li explicava la història de les joies? No sabia què fer. Quan es va separar dels seus tres companys de gos hi havia una sensació estranya a l'aire. Alguna cosa que no anava bé, però no sabia quina. La història de l'Home Coix era poc creïble, algunes parts semblaven inventades, però tenia una prova... Tampoc es fiava gens de l'Executiu: semblava una persona capaç de fer qualsevol cosa. El trobava atractiu i interessant, però era agressiu i poc respectuós. Segurament era un faldiller, com tots els executius. Tenia la Infermera a les seves mans, o això és el que semblava, perquè ella se'l mirava tendrament. Ella va trucar a l'Home Coix. Què es devien dir? A més, tots tres el consideraven un nen i l'ignoraven.

Com que ni ell mateix sabia com estava, va mentir.

Peter> Estic bé, gràcies per preguntar-m'ho.

Però en Tomàs no era ximple i va detectar que alguna cosa anava malament.

Tommy_92> Si tens problemes, cal que en parlis amb algú.
Peter> Parlant dels problemes no els solucionaré.
Tommy_92> No, però has d'explicar-los per sentir-te millor. Fes-me cas.

El Nen va agafar aire pel nas i va decidir que es podia fiar d'en Tomàs.

Peter> Ahir, amb un grup de veïns, vam trobar per casualitat una caixa plena de joies molt valuoses. Estaven enterrades a prop del riu, on s'acaba la ciutat. Es veu que eren d'una dona que es deia Maria Vallcoberta i que abans vivia a prop d'allà. Diuen que va morir en un accident de cotxe i que després les joies van desaparèixer. Les van robar.

Tommy_92> I qui les va robar?

Peter> Pel que sembla, les va robar el xofer, que va ser l'únic que va sortir en vida de l'accident, i que després les va enterrar.

Tommy_92> I per què les va enterrar?

Peter> Perquè el van acusar d'assassinar els seus amos per robar-los les joies, encara que mai es va poder demostrar. Les devia amagar i devia deixar passar el temps.

Tommy_92> I encara és viu aquest xofer?

Peter> Sí, de tant en tant el veiem per la zona on hem trobat la caixa.

Tommy_92> Com sabeu que és el xofer?

Peter> Ens ho ha explicat un del grup. És un home gran del barri que coneix la història.

Tommy_92> Tio, que fort! Sembla una pel·lícula.

Peter> Sí.

Tommy_92> I què fareu?

Peter> Demà les tornarem a la germana de la dona rica. Segurament ens donarà una recompensa.

Tommy_92> I si el xofer us ha vist i sap que les teniu vosaltres? Has de dir-ho a la policia. Ells ja les tornaran.

Peter> Vols dir?

Tommy_92> És clar. No et posis en embolics. Aquesta història és molt perillosa.

El Nen va quedar parat. Potser en Tomàs tenia raó, però l'única opció de tenir alguns diners era tornar les joies a la germana de la tal Maria. Li agradaria ser més decidit per convèncer el vell i fer-hi un tracte.

Peter> Però d'aquestes joies en podria treure molts diners i a més les vaig trobar jo; són més meves que dels altres.

Tommy_92> Per què no en parles amb els teus pares?

Peter> El meu pare només vol que treballi molt i que no repeteixi curs. No m'escoltarà. O encara pitjor: es pensarà que m'ho invento.

Tommy_92> I la teva mare?

Peter> Els meus pares estan separats i la meva mare viu en una altra ciutat amb un altre home.

Tommy_92> No ho sabia.

Peter> No passa res.

El Nen va esperar per veure si en Tomàs li deia alguna cosa més. Li agradaria tenir-lo més a prop per sentir-se protegit, segur que amb ell s'atreviria a plantar cara als altres, podrien fer moltes coses junts amb els diners; però sabia que era impossible. Va canviar de tema i va començar a criticar la professora de matemàtiques. Era una dona alta, morena, amb els ulls del color del gel, i que feia molta por a tothom. Més que por, terror. Cridava i clavava cops a la taula quan estava enfadada, que era quasi sempre. Per la seva mida i pel seu mal caràcter els estudiants li deien «ogressa». Van estar xatejant fins que el pare del Nen el va cridar: «És l'hora de sopar».

Sobre les estovalles de quadres blancs i vermells el pare va posar-hi dos plats amb croquetes i pa amb tomàquet. Com que el Nen no baixava el va cridar per segona vegada. Era un home amb molt poca paciència.

— Afanya't!

El Nen es va acomiadar del seu company de classe i va baixar les escales a poc a poc. Vivia en una casa molt vella de dues plantes: les parets necessitaven una capa de pintura i calia canviar quasi tots els mobles. El seu pare sempre deia que volia posar-hi calefacció, però treballava a mitja jornada i no guanyava gaires diners; per tant, no podia estalviar gens. Quan el Nen va ser a baix va pensar que abans d'anar a dormir potser miraria una pel·lícula de por. Les trobava excitants, les pel·lícules de por, perquè li agradava sentir aquell terror. Sobretot si hi sortia molta sang. Eren les que li agradaven més. També mirava dibuixos animats japonesos; en canvi, llegia poc.

A la taula de la cuina tots dos van menjar en silenci mentre escoltaven les notícies de la televisió. El televisor era un aparell gros i antic, i ja no es veia gaire bé. «Amb els diners de les joies podria marxar de casa, llogar un pis nou i compartir-lo. Potser amb el Tomàs», va pensar el Nen.

Pare i fill parlaven poques vegades i sempre era de coses poc importants. Però aquella història de les joies semblava una cosa seriosa. L'hi havia de dir. Potser el seu pare li donaria un consell.

—Papa… —va dir el Nen.

—Xxxxxt —va respondre el seu pare mentre mastegava una croqueta—. Ara fan les notícies d'esports. Vull saber quins partits hi ha aquest dissabte.

El Nen va fer que no amb el cap. El seu pare era egoista i no el volia escoltar. Ja s'ho pensava: estava sol. Tothom l'ignorava. Va recordar que podia trucar a la seva mare, però de seguida va pensar que no era gaire bona idea: des que va abandonar-los a ell i al seu pare, per anar-se'n amb un altre home, que quasi no es parlaven. Es trucaven dos o tres cops a l'any, per Nadal i pel seu aniversari, però mai parlaven gaire estona. A vegades semblava que la mare s'hi volia acostar; un dia fins i tot va convidar-lo a sopar a un restaurant, però ell de seguida va dir que no i va inventar-se una excusa. No tenia gaires ganes de veure-la.

Al cap d'una estona el pare va voler mirar les previsions del temps i després un programa de futbol. El Nen, trist, va pujar a la seva habitació, va mirar per la finestra el gos del vell, que era al jardí. Va controlar si hi havia algun amic connectat al xat, però no hi va trobar ningú: segur que tothom es divertia i ell, en canvi, vivia una vida monòtona, sense objectius… en una casa vella i amb un pare que no li feia cas. Ja no tenia ganes de mirar la pel·lícula de terror. Se sentia molt sol i desgraciat. Va recordar la Infermera. Tenia present les seves paraules: «Si necessites parlar amb algú, truca'm».

«Per què trucar-li a ella? Què volia? Realment es preocupava per ell, si no el coneixia de res? A més, semblava tan perduda i espantada com ell. Potser encara es ficaria en algun embolic si li trucava. No sabia què fer». Era una nit fosca i trista, semblava que volia ploure, i tenia ganes de parlar amb algú. Va agafar el seu telèfon mòbil i va marcar el número.

Capítol 7

L'Executiu mirava la televisió i va sonar el telèfon mòbil. Va agafar l'aparell. Era un model de color negre amb una pantalla enorme. Va veure que era en Roberto, el seu advocat, i de seguida va fer una ganyota. «Males notícies», va pensar.

—Digues?
—Hola, sóc en Roberto.
—Hola, Roberto. Tens novetats?
—Aquest matí he parlat amb l'advocat de la teva dona.

El cor de l'Executiu va començar a bategar més de pressa. Les mans li van començar a suar i es va asseure amb l'esquena ben recta.

—Podem fer un tracte?

L'advocat va tossir.

—Em sembla que no. Ho sento, però la teva dona i el seu advocat volen anar a judici.
—Són idiotes. El tracte que els vam oferir és molt bo.
—Ja ho sabies que no aniria bé. Et vaig avisar. Volen anar a judici perquè saben que guanyaran. No hi ha tracte, em sap greu.

L'Executiu es va posar dret i va començar a donar voltes pel menjador, com un animal dins la seva gàbia. El Dick se'l mirava des d'un racó.

—Què podem fer, doncs?
—Res. Hem d'esperar i anar a judici. La teva dona té moltes possibilitats de guanyar, així que prepara't.

L'Executiu va clavar un cop de peu a una cadira i un cop de puny a la porta del menjador. Es va asseure amb el cap entre les mans. El Dick s'hi va acostar, ell se'l va mirar amb cara de fàstic i el va apartar. La seva exdona guanyaria el judici. Li demanaria molts diners. També havia de pagar en Roberto.

A vegades l'Executiu es preguntava com va començar tot. Quan es va casar amb la seva dona eren la parella perfecta i tothom els envejava: eren joves, atractius, tenien bones feines i el futur era seu. Un dia es van separar. Va ser de cop, i quan els seus amics li van preguntar per què ell no sabia contestar. Ni ell ni ella tenien amants. Discutien, però moltes parelles discuteixen durant anys i no se separen. No entenia, doncs, d'on venia aquell odi tan fort que es tenien l'un a l'altre. Ell treballava moltes hores perquè la seva dona volia viure per sobre de les seves possibilitats. Ell l'hi va donar tot. Coneixia molta gent que se separava i tots ho feien de manera civilitzada, sense ràbia, sense tants problemes. A un company de feina la seva dona el va deixar pel professor de tennis. Es van separar, van tenir un judici tranquil i tot va anar bé. «Per què la seva dona se li volia quedar tots els diners, doncs? Què li va fer?». Potser abans ho sabia, però ara ja no ho recordava, com aquells pobles que estan en guerra amb el seu veí de fa tant temps que ja no recorden per què es barallen.

O potser era perquè no hi havia nens: no tenien temps per a les criatures. La seva dona tampoc en volia tenir. O potser sí, i ell no sabia escoltar-la, no l'entenia. Era aquí el problema? Que no la va saber escoltar mai? Va decidir que ja era tard per pensar en tot això. Va pensar en les joies que tenia l'Home Coix i com li anirien de bé els diners. Tornar les joies a la propietària era una ximpleria, però convèncer l'Home Coix de quedar-se-les segur que era impossible. Només el podria convèncer amb violència, però no sabia on vivia. Tenia el telèfon, li podia trucar i inventar-se una excusa per trobarse. No sabia què fer. Es va aixecar, es va posar el xandall, va agafar el gos i va sortir a córrer. Potser després de fer exercici es trobaria millor i tindria les idees més clares.

* * *

La Infermera era davant l'hospital, fumant i bevent un cafè. A l'estiu s'hi estava bé, però quan feia fred era molt incòmode haver de sortir a fora a fumar. Normalment hi havia més metges i infermeres, però aquella nit estava tota sola. Estava nerviosa i molt atabalada i, per això, en comptes d'una cigarreta en va fumar dues. Quan estava a punt d'acabar la segona li va sonar el mòbil. Era la cançó que estava de moda aquell estiu i que se sentia a la ràdio, als bars i a les discoteques. Va mirar la pantalla del mòbil, però no va conèixer el número que hi sortia. Al final va contestar.

—Digui?

—Hola, sóc jo —va dir una veu nerviosa. Era el Nen.

—Ah, hola. Em pensava que no trucaries.

—Sí —va contestar ell.

La Infermera es va esperar uns quants segons per si el Nen deia alguna cosa, però com que no parlava al final va dir:

—Com estàs? Que et passa alguna cosa?

—Sí. M'agradaria trobar una altra solució per a les joies. Vull llogar un pis i anar-me'n de casa. Creus que la germana de la morta ens donarà gaires diners?

—No ho sé, però jo també necessito diners. També m'agradaria canviar de pis.

El Nen es va mossegar el llavi. No sabia si dir-ho. No sabia si podia confiar en ella. Al final es va decidir.

—Escolta, tu confies en l'Home Coix? I si ja s'ha venut les joies o les ha tornat sense dir-nos res...?

—Home, però tu tens el seu gos. Ell se l'estima molt.

—Potser sí. I la història del xofer? A mi em fa molta por. Pot ser un assassí. I si sap que tenim les joies que va robar?

La Infermera també tenia por. Per tranquil·litzar el Nen va dir:

—Però no sap on vivim, ni res de nosaltres. Estigues tranquil.

Van estar uns quants segons en silenci. Al final el Nen va parlar.

—A vegades penso que tot és mentida. La notícia, la història, tot. Jo sé fer una notícia com aquella amb el meu ordinador.

—Però el paper del diari era groc i vell.

—Imprimeixes sobre un paper vell i ja està. És fàcil. Molta gent sap fer-ho.

—Potser sí. Però no podem saber-ho. Hem de confiar en aquest home.

—Ara que hi penso. Hi ha una manera de saber si la notícia és veritable. En realitat és molt senzill. Tu deixa'm fer a mi.

—Tu mateix.

El Nen no va contestar i ella li va dir que l'esperaven a urgències, que no podia continuar parlant. Es van acomiadar. El Nen va penjar i va seure davant del seu ordinador. Per fi una cosa que sabia fer!

* * *

Eren les tres de la matinada. L'Home Coix era quasi a les fosques, tenia un got de conyac a la mà dreta i una foto de la seva dona a la mà esquerra. Va beure un glop llarg i va pensar que la seva dona era bonica de debò. El món era un lloc perillós i incompren-

sible: les noies joves i boniques morien i ningú sabia per què. Va tornar a omplir el got de conyac. Plorava. Va mirar la foto una altra vegada: eren joves i estaven molt enamorats. Ara tot allò ja no volia dir res. Va tornar a sentir la veu d'ella dins del seu cap. La sentia perfectament, amb tota claredat. Era una veu trista, però molt clara. Feia molts anys que la sentia, primer, a la nit, quan se n'anava a dormir. Llavors li agradava, sentia la companyia d'ella. Però de mica en mica la veu li exigia més coses i ell s'angoixava i no podia dormir. Tenia insomni i es prenia pastilles per adormir-se. Cada vegada la veu apareixia més sovint i les pastilles no feien cap efecte. Llavors va començar a beure. Va deixar d'anar als metges perquè deia que no tenia cap malaltia. Tampoc no hi confiava. Cap metge va poder salvar la seva dona. Ahir la seva dona li va dir que se'n volia anar i li va exigir el que era seu. L'Home Coix només podia fer una cosa: es va acabar el conyac, es va posar dret, va mirar la Nuca i va sortir al carrer.

Capítol 8

—No vindrà —va dir l'Executiu quan va veure que eren les sis, i allà només hi havia ell, la Infermera i el Nen.

—Com ho saps? Has parlat amb ell? —va demanar-li la Infermera.

—Jo? No!

—Esperem una estona —va respondre el Nen mirant el rellotge.

—Potser li ha passat alguna cosa a la Nuca. Li truco —va dir la Infermera, espantada. Va marcar el número i va esperar una estona.

L'Executiu estava nerviós i caminava amunt i avall. El seu gos, en Roy, també. El Nen es menjava les ungles i mirava a dreta i a esquerra. El seu gos, com sempre, jugava amb una pilota de tennis vella. Era l'únic del grup que semblava content. El gos de l'Home Coix estava espantat perquè no veia el seu amo.

—No contesta —va dir la Infermera mentre apagava una cigarreta i n'encenia una altra.

Al cap de vint minuts d'espera l'Executiu va cridar.

—Ens ha enganyat. Segur que s'ha quedat les joies. Ara què farem?

—Encara no sabem si vindrà. Tenim el seu gos —va contestar el Nen.

—És clar que se les ha quedat! Per això no és aquí. No li importa gens el seu gos.

El gos de l'Home Coix, petit i lleig, va bordar. Semblava una protesta.

—Ha de venir, té la Nuca! —va dir la Infermera amb el telèfon a la mà.

—Ja té el que volia: les joies. No vindrà, no siguis beneita —va dir l'Executiu mentre tocava el cap del seu gos.

La Infermera se'l va mirar amb les celles arrugades i va obrir la boca per parlar, però el Nen va fer-ho primer.

—Potser és mort —va dir el Nen.

Els altres dos el van mirar amb els ulls molt oberts.

—Què dius? —va exclamar l'Executiu.

El Nen va abaixar el cap i es va posar vermell.

—Potser és mort. Potser el xofer, l'home calb, va veure que ell s'enduia les joies, el va seguir i el va matar —va dir molt fluix.
—Això del xofer és una mentida. No em crec aquesta història. Per mi que aquest accident mai va passar de veritat —va dir l'Executiu.
—Sí que és veritat —va dir la noia—. Ens va ensenyar el diari.
—Qualsevol idiota amb un ordinador pot fer una notícia falsa.
—La notícia és certa —va dir el Nen.

L'home es van sorprendre. Com ho sabia? El Nen va continuar parlant.

—Ahir a la nit vaig buscar informació sobre l'accident a Internet. No hi deia res, potser perquè fa massa temps. Els diaris vells no són a la xarxa. Però aquest matí, després de classe, he anat a l'hemeroteca. He estat tres hores buscant, però al final he trobat una notícia que deia que un matrimoni ric va tenir un accident de cotxe i només el xofer va sortir-ne amb vida. La notícia era la mateixa. El mateix diari, dies després, parlava de les joies perdudes. Per tant, segur que és veritat. I crec que és veritat que el xofer els va matar. És un assassí, i segur que també ha matat l'home coix i s'ha quedat les joies.

La Infermera va agafar el braç del Nen per tranquil·litzar-lo i l'Executiu va riure.

—Veus massa pel·lícules.
—Potser sí que té raó. Potser també ha matat la Nuca —va exclamar la Infermera—. Li torno a trucar.

Ningú contestava. La noia no va poder més, va penjar el telèfon i es va posar a plorar, histèrica.

—No contesta!

—I ara què fem? Hauríem d'anar a veure si és mort —va dir el Nen.

—Haig d'anar a buscar la Nuca! —va dir plorosa la Infermera.

—Hem perdut les joies. Ens ha pres el pèl. I si l'home calb ha matat l'home coix a mi tant me fa! —va cridar l'Executiu.

En aquell moment va aparèixer l'home calb. D'on sortia? No el van sentir acostar-se i es van espantar quan el van veure tan a la vora. Era terrible: aquell home era el xofer, l'assassí de la parella de rics i potser també l'assassí de l'Home Coix. El lladre de les joies. La persona que les va enterrar. I ells les van trobar, les van desenterrar i se les van endur. El cor de tots tres va començar a bategar molt de pressa. El Nen va perdre els colors de la cara i va agafar el seu gos. La Infermera va marejar-se una mica. Tenia el nas i els ulls vermells. Es va mocar. A l'Executiu li tremolaven les cames, però s'esforçava per dissimular-ho. Es feia el valent. Els gossos, en canvi, estaven tranquils i miraven aquell home amb curiositat.

—Bona tarda —va dir l'home calb fent un somriure còmplice.

Ells no van contestar.

—Sé que vau trobar una cosa al bosc.

Es miraven els uns als altres sense saber què fer ni què dir.

—No cal que digueu res. Ho sé tot.

—Què li ha fet a l'home coix? —va preguntar el Nen.

—I la Nuca? Està bé? —va demanar-li la Infermera.

—Qui és la Nuca? De què em parles? —va dir l'home.

De cop l'Executiu va trobar una mica de valor. Era alt, atlètic i fort, i en una baralla podia guanyar aquell home petit, sense gaires problemes.

—Si ja té les joies, què vol de nosaltres? Ens vol matar, també? Com llavors va fer amb el matrimoni ric i ara, amb l'home coix? —va preguntar l'Executiu.

—No ens faci mal. No direm res! L'hi jurem —va demanar en veu baixa el Nen.

—Tu calla, covard —va dir l'Executiu mirant el Nen. Després va mirar l'home calb—. Què ens vol fer? Ens vol matar? On són les armes? Té un ganivet a la butxaca? Una pistola? Es pensa que és molt espavilat, eh? —va continuar.

—Però, què dieu? Us heu tornat bojos?

El Nen i la Infermera van mirar a terra. Allò havia d'acabar malament.

—Ja sabem qui és. Hem llegit la notícia al diari. Va matar dues persones per robar aquestes joies. I ahir nosaltres, sense voler, les hi vam robar a vostè —l'Executiu va riure, un riure que feia por—. Si ho sap tot, també sap que nosaltres no les tenim. No sé què vol. Ara vagi-se'n o trucaré a la policia. O potser li trencaré la cara jo mateix.

L'home calb va aixecar els braços per defensar-se.

—Tranquils. Escolteu…

—Fora d'aquí o li trenco les cames —va cridar l'Executiu.

—Què us ha explicat aquell vell? Us ha enganyat! —va cridar l'home.

—Què vol dir? —va preguntar la Infermera amb la veu tremolosa.

—Us ha enredat, com em va enganyar a mi.

Hi ha haver un silenci. De cop, se'l van mirar d'una manera diferent.

—Expliqui's! Parli! —va cridar l'Executiu.

—La història que us va explicar és veritat. Hi va haver un accident i un matrimoni que vivia a prop d'aquí i que era molt ric va morir. El xofer, que conduïa el cotxe, va sortir il·lès.

—Sí, això ja ho sabem —va dir el Nen.

—I van acusar el xofer d'haver-los matat i de robar les joies —va afegir l'Executiu.

—Exactament —va dir l'home calb.

—I ara què vol? Qui té la Nuca? On és? —va preguntar la Infermera.

—Veig que us ha ben enredat! Jo no sóc el xofer! Jo no conduïa el cotxe la nit de l'accident. No tinc ni carnet de conduir.

—I així, doncs, qui el conduïa? —va demanar el Nen.

—Per què no ho pregunteu al vostre amic? Ell us ho podrà explicar.

Tots tres es van mirar, estaven desconcertats, perduts. Com passava sempre, es van quedar una estona sense dir res. L'home calb es va girar i va marxar caminant molt ràpid. L'Executiu es va quedar quiet: no sabia si calia perseguir-lo. Al final el va deixar marxar. Els altres dos van deixar anar l'aire que feia estona que aguantaven dins els pulmons.

—Quina por —va dir la Infermera.

—Sí —va estar-hi d'acord el Nen.

—Això és massa complicat. Vull recuperar la meva Nuca. No m'importen les joies —va dir la Infermera, mentre encenia una cigarreta.

—Hem d'anar a buscar la Nuca. T'ajudarem —va dir-li el Nen.

—Necessito beure alguna cosa —va dir de cop l'Executiu—. Per què no anem a un bar i pensem què cal fer. A més, a tu t'aniria bé prendre una til·la, estàs massa histèrica —va dir mirant la Infermera.

Els altres dos van dir que sí i van anar a un bar. Van lligar els gossos a un fanal que hi havia al davant. Era un local nou, molt net. No era gaire modern. Però per a aquell barri, ple de bars petits i bruts, era un lloc força bo. Hi havia uns quants homes amb roba vella de feina bevent cervesa i menjant entrepans embolicats amb paper de plata. Quasi tots van mirar la Infermera, que aquell dia duia un jersei cenyit i molt escotat. Era l'única dona del bar.

El cambrer va preguntar què volien. Un whisky per a l'Executiu, una til·la per a la Infermera i una Coca-Cola per al Nen. De seguida van tenir les begudes, que el cambrer va dur juntament amb el compte. Cadascú va pagar la seva consumició. Van estar una estona bevent en silenci i al final la Infermera va dir:

—Què en penseu? Diu la veritat aquest home? Potser hem d'avisar la policia.

—Res de policia. Recordeu que jo i la meva exdona tenim un judici i no vull que el meu nom surti enlloc.

—Jo també penso que hem de trucar a la policia. Tot això és molt complicat... Ha anat massa enllà —va dir el Nen.

—Tu calla, nano, que no vals ni cinc.

El Nen es va mossegar el llavi de sota. Volia tornar a demostrar que podia ser útil i se li va acudir com.

—Podem anar a buscar l'home coix —va proposar el Nen.

L'Executiu se'l va mirar amb menyspreu.

—I com vols que el trobem? Anem a casa seva i truquem al timbre?

—Exacte —va dir el Nen fent un somriure tímid—. Sé on viu.

La Infermera va observar el Nen. Aquell nano no era tan inofensiu com semblava. El Nen no va dir res i va mirar a terra, mentre bevia la Coca-Cola.

Capítol 9

El pis de l'Home Coix era en un edifici alt i vell que tenia a un costat una botiga de roba i, a l'altre, un garatge amb una porta molt grossa pintada de color gris. Al davant hi havia un arbre i van lligar-hi els gossos. Molta gent entrava i sortia d'aquell bloc. Una senyora grassa, amb ulleres i carregada amb bosses del supermercat, va obrir la porta de vidre i ells van entrar darrere seu.

—Bon dia! —va dir la senyora.
—Bon dia! —va contestar la Infermera.

Van esperar fins que la senyora va pujar a l'ascensor, una màquina molt vella de color verd, i van començar a parlar.

—Molt bé —va dir l'Executiu—. Ja som dins. A quin pis viu el nostre amic?
—No ho sé —va dir el Nen.
—Ets un beneit! No ho saps? I com ho farem per trobar-lo?
—Mirem les bústies. A cada bústia hi ha el nom de les persones que viuen a cada casa.
—Bona idea. Com es diu aquest home? —va preguntar la Infermera, que ja llegia els noms. Va obrir el llum del passadís perquè no s'hi veia gaire.
—Tampoc ho sé —va dir el Nen.

L'Executiu el va mirar amb els ulls molt oberts.

—No saps com es diu? Ets ximple o què? Com vols que el trobem, doncs? Estem perdent el temps.

El Nen va abaixar el cap però aquella vegada no va posar-se vermell. En comptes d'això, va prémer les dents i va tancar els punys. Va pensar «idiota», però no ho va dir. Ja n'estava fart. La Infermera va ajudar-lo.

—Tu tampoc ho saps. Ni jo. No és tan estrany, oi?

La noia va parlar amb seguretat. Estava cansada i nerviosa i, sobre-tot, començava a estar tipa de l'Executiu i del Nen. Només volia recuperar la Nuca i oblidar-se d'aquell malson.

L'Executiu va callar però va mirar la noia amb ràbia. Estava acos-tumat a manar i mai ningú li plantava cara. En aquell moment va sortir de l'ascensor un vell amb un carretó d'anar a comprar. Va encendre el llum, que cada dos o tres minuts s'apagava tot sol. L'ho-me del carretó estava a punt de sortir de l'edifici i la Infermera el va parar. Va parlar amb veu molt suau i amb un gran somriure.

—Perdoni. Busquem una persona que viu aquí, però no recordem el seu nom. És un senyor que deu tenir seixanta anys. És viudo, té els cabells grisos i és coix. I té un gos petit.

El vell va fer que sí amb el cap.

—Ah, sí. Ja el conec. Jo tampoc recordo mai com es diu. Em sembla que em faig vell. La meva dona, la Teresa, m'ho ha dit moltes vega-des, però no ho puc recordar. Ella sí que té bona memòria. Potser es diu Joan, o Mateu. No ho sé. Però viu al cinquè, a la tercera porta.
—Gràcies —va dir la noia tornant-li el somriure. Després va mirar l'Executiu—. Veus? Cal ser una mica amable. No és tan difícil.

L'Executiu va respondre, però va parlar tan baix que no el van sentir: no li agradava donar la raó als altres. Tots tres van entrar a l'ascen-sor, petit i ple de pintades, i van pujar fins al cinquè pis. La màquina feia molt soroll i tots tres van tenir por de quedar-s'hi atrapats, però al final van arribar a lloc. El passadís de dalt era fosc perquè el llum estava fet malbé. Feia olor de gos i de suor.

—Què fem ara? —va preguntar l'Executiu.
—Truquem a la porta? —va proposar la Infermera. Tots parlaven en veu baixa i miraven a dreta i a esquerra.
—No siguis ingènua. No és a casa. I si és mort, tampoc ens obrirà —va

dir irònicament l'Executiu.

—Provem-ho —va dir el Nen.

—Sí. Si hi ha la Nuca segur que em reconeixerà i bordarà —va dir la Infermera.

L'Executiu va fer que no amb el cap, però va trucar igualment. Era una porta prima i plena de ratlles. Un truc. Dos trucs. No van obrir. L'Executiu somreia. De cop van sentir un soroll que venia de dins.

—És la Nuca, la sento! És a dins! Obre, malparit! —va cridar la Infermera.

El Nen i l'Executiu van mirar la Infermera i els va fer pena. El Nen es va agenollar i va mirar pel pany.

—No està tancat amb clau. Potser puc obrir la porta amb una targeta de crèdit. A Internet vaig trobar una pàgina que explicava com es feia.

—Sisplau, obre-la. La Nuca està molt malalta —va dir la noia.

El Nen va demanar una targeta de crèdit a l'Executiu.

—Vols la meva targeta de crèdit? De cap manera.

—És per obrir la porta —va explicar el Nen.

—Per què no fas servir la teva? —va preguntar l'Executiu.

—Doncs perquè no en té —va dir la Infermera. Mirava l'Executiu amb ràbia mentre buscava el seu portamonedes. El va trobar i en va treure una targeta de crèdit de color blau —. Té, fes servir aquesta. Ja és molt vella. Tampoc hi ha diners: si la fas malbé, no passa res.

—Gràcies —va dir el Nen. La va posar entre la porta i el pany i va estar-se uns quants minuts movent-la amunt i avall. Al final es va sentir «clac» i la porta es va obrir.

—Ja està, la targeta està bé —va dir satisfet i, fent un pas enrere, va tornar-la a la noia.

—Jo aniré al davant —va proposar l'Executiu.

El pis era petit i tenia poca llum. Les bombetes feien una llum groguenca. Feia pudor de gos, de tancat i de tabac. Totes les persianes estaven tancades, els mobles eren coberts per una fina capa de pols i el terra, ple de pèls d'animal. La Infermera va anar directament al menjador i va veure la Nuca, asseguda damunt del sofà, que gairebé no es movia.

—Nuca, preciosa! Com estàs? —va preguntar.

La gossa va aixecar el cap i va mirar la seva mestressa. Tenia el ulls plorosos i li costava respirar. Havia de portar-la al veterinari urgentment.

—Aquest lloc no m'agrada gens —va dir l'Executiu.

El Nen trobava aquella casa molt familiar. Era com les cases de les pel·lícules de terror que mirava. Aquell lloc tan horrible li feia sentir un buit a l'estómac i tenia moltes ganes d'anar al lavabo. També tenia ganes de marxar corrent, però no volia deixar sola la Infermera. Se sentia culpable. Es va mossegar les ungles: no sabia què fer. Va pensar que estaria molt bé davant del seu ordinador o estirat al seu llit. Li agradaven les aventures a la televisió, però no a la vida real. Al final va empassar saliva i va decidir quedar-se. «L'home coix segur que no era allà. Potser podien recuperar les joies i anar-se'n», va pensar.

—Viu aquí? Quin fàstic. Quina merda de lloc! —va dir l'Executiu.
—On deu ser? —va preguntar el Nen amb la veu tremolosa.
—Escolteu! —va dir la Infermera—. Mireu a les habitacions i a la cuina.
—Jo buscaré les joies, però no les trobarem perquè segur que ja no són aquí —va dir l'Executiu i va entrar al dormitori.

La Infermera es va quedar al menjador, al costat de la gossa. Va fer una ganyota quan va veure les estovalles: eren velles, brutes, plenes de forats i molt lletges. La sala era plena de fotos i quadres de la dona de l'Home Coix. Era molt bonica, amb els cabells brillants i molt llargs. La cara rodona i un somriure càlid i agradable. Semblava una actriu de Hollywood. En una foto sortia fumant una cigarreta, això la feia semblar encara més una actriu americana. La Infermera va pensar que devia ser la dona de l'Home Coix. Potser era morta. Aleshores va veure una foto que la va sorprendre: hi sortia l'Home Coix quan era més jove. Era enmig d'una parella. Tots tres reien. Per la roba que duien, l'home i la dona eren rics. La dona portava unes arracades que li van semblar conegudes. Va agafar la foto. El collaret de la dona, els anells… eren gruixuts i antics, els mateixos que van trobar a la caixa de joies. La Infermera no entenia res: «què volia dir, allò?». El cor li va fer un bot i quasi se li va parar quan va veure la roba grisa i la gorra que duia l'Home Coix a la foto: era un uniforme de xofer.

CAPÍTOL 10

La Infermera va voler cridar, però no va tenir temps. Una mà bruta, grossa i forta li va tapar la boca. Va sentir una cosa freda i punxeguda al coll: era la punta d'un ganivet.

—No diguis res —li va dir a cau d'orella una veu ronca i que feia pudor de tabac i de licor barat.

De seguida la va reconèixer: era de l'Home Coix. No va saber d'on sortia ni com es podia moure tan ràpid amb la cama malalta. Potser estava amagat darrere la porta, o potser els va seguir sense fer soroll. L'Executiu encara era al dormitori. En aquell moment el Nen va tornar de la cuina amb les mans buides. Quan va veure l'Home Coix es va espantar i va cridar.

—És viu! —va cridar el Nen.
—Calla, idiota! —va dir l'Home Coix agafant la Infermera per la cintura—. Calla o la mato.

El Nen el va mirar amb els ulls plens de llàgrimes de ràbia. L'Executiu va sentir el crit i va entrar corrent al menjador. En veure l'Home Coix amb el ganivet va somriure una mica.

—Ja sabem qui ets! Ens ho ha dit l'home del bosc. On són les joies?

L'Executiu semblava més content que no pas espantat.

—Deixa'm anar, sisplau... —demanava la noia.
—De cap manera. Ara agafarem les joies i després m'acompanyaràs a fora. Quan siguem lluny d'aquí et deixaré marxar. No et passarà res.
—Ens vas enganyar... —va dir el Nen amb ràbia.

—Mira quin nano més llest.

—Creus que podràs anar gaire lluny? Trucarem a la policia! —va dir l'Executiu.

—Tu calla, collons! —va dir la Infermera—. No el posis més nerviós.

—Que calli tothom! —va manar l'Home Coix, una mica desorientat. La Infermera va començar a plorar—. No vull fer mal a ningú. Jo i la noia marxem. Tu, noi, vés a la meva habitació i obre el segon calaix de l'armari. Hi ha mitjons i calçotets. Busca bé i hi trobaràs la caixa de les joies. Porta-me-la.

L'Executiu, que somreia, va dir:

—No li facis cas. No s'atrevirà a fer res.

—Noi, la caixa! —va manar una altra vegada l'Home Coix. Tenia els ulls molt oberts i vermells. Anava de debò.

El Nen va entrar a l'habitació i va començar a buscar. Va tornar al cap d'una estona amb la caixa de joies.

—Dóna-la a la noia. A poc a poc o li clavo el ganivet.

Era un ganivet de muntanya amb la fulla brillant, gruixuda i afilada. Semblava nou i feia por de veure. La Infermera va estirar les mans i va agafar la caixa.

—Ja vas matar dues persones. No deus voler matar més gent? —va dir l'Executiu.

—Tu no saps res —va cridar l'Home Coix i el va assenyalar amb el ganivet.

—Sí: sé que ets un assassí.

—Jo no sóc cap assassí! Ells sí que ho eren! —va cridar l'Home Coix desesperadament.

La Infermera no era una persona creient, però resava en silenci. L'Executiu estava fent enfadar molt l'Home Coix. Ningú sabia com acabaria.

—La meva dona va morir d'una malaltia estranya quan només tenia vint-i-nou anys. Tots els metges d'aquí van intentar curar-la, però no ho van aconseguir. L'única possibilitat era anar a l'estranger. Va morir perquè no teníem prou diners per pagar el tractament mèdic que necessitava. Fins i tot vam vendre les seves joies, però no en vam tenir prou perquè no valien gaires diners. Vaig demanar diners als senyors Vallcoberta; ells en tenien molts. Em van dir que no. Tots dos es gastaven milions fent viatges i comprant roba, quadres, joies i coses inútils, i no van ser capaços de deixar-me la quantitat que els vaig demanar. Per a ells no era res: tenien tres cotxes i quatre o cinc cases i no van voler deixar-me els diners per anar a l'estranger. Ara seria viva. Els senyors Vallcoberta que organitzaven gales benèfiques! Eren mala gent i crec que el món és millor sense ells.

—Vas matar-los. Tu eres el seu xofer i vas matar-los. Ells no en tenien cap culpa, de la malaltia de la teva dona. Però tampoc et va servir de res perquè la teva dona va morir igualment —va dir l'Executiu amb un somriure.

—Calla, malparit! —va cridar l'Home Coix, i una gota de sang va relliscar pel coll de la Infermera, que va xisclar.

—No el facis enfadar! —va demanar el Nen—. És boig!

—No, boig no. Estava desesperat, estimava molt la meva dona. Tothom faria el mateix. Escolteu: un vespre vaig portar els senyors a l'òpera. Feia molt fred i no es veia res per culpa de la boira. El terra era molt humit i va ser fàcil fer patinar el cotxe, que es va estavellar contra una paret de roca. La parella era al seient del darrere i el cop fort va ser allà. Va sortir millor del que em pensava i van morir a l'acte. Jo vaig saltar a l'últim moment, però la cama em va quedar enganxada al seient. Des d'aquell dia que vaig coix. L'endemà, sortint de l'hospital, vaig anar a la casa dels meus antics amos amb un home que era ferrer i que em va ajudar a obrir la caixa forta a canvi d'algunes joies. Va obrir la caixa sense trencar-la, va ser molt fàcil. Al cap de dos dies la meva dona va morir. No vam ser a temps d'anar a l'estranger. Un cop ella morta, de què em servien les joies? Jo estava molt trist i deprimit, ja no sabia què fer-ne, de les joies. Vaig tenir por i vaig voler-les amagar: ja no em servien de res, però no podia tornar-les. No sabia on posar-les i vaig pensar que el millor amagatall sempre és a simple vista. El costat del riu era perfecte perquè vivia a prop i les podria controlar. Vaig anar-hi de nit i les vaig enterrar. Va ser una bona idea perquè poc després la policia va venir a casa meva i la va escorcollar de dalt a baix: la germana de la dona morta la va avisar perquè no trobava les joies. Sé que també van interrogar el cuiner i el jardiner i, és clar, les joies no eren enlloc. En realitat estaven amagades al costat del riu i s'han quedat allà tots aquests anys. Quasi cada dia les anava a veure i les vigilava; per això ens vam conèixer.

—I el ferrer que el va ajudar també el va matar? —va demanar l'Executiu.

—No. Ell és viu. No sap on són les joies, però també les busca. Em sembla que ja el coneixeu.

—L'home calb que passeja pel bosc? —va demanar el Nen.

—Molt llest! —va contestar l'Home Coix.

—Per què no va vendre les joies i se'n va anar ben lluny? Ja fa força anys d'això —va preguntar l'Executiu.

—No ho entens? Jo només volia estar amb la meva dona!—va cridar l'Home Coix—. Ella se'n va anar, però la sento cada dia, cada dia...

La Infermera, l'Executiu i el Nen es van mirar i van mirar l'home. Era boig. Segurament es devia tornar boig quan va morir la seva dona. Podia fer mal a la Infermera, perquè no controlava la situació.

—I el teu gos de merda —va continuar l'Home Coix— va desenterrar les joies. I vosaltres, morts de gana, volíeu quedar-vos-les i treure'n diners.

—Però vostè no necessita les joies, ara —va dir el Nen.

—Jo no, però ahir a la nit la meva dona em va dir que les volia —va dir l'Home Coix. Tenia els ulls molt oberts i molt vermells.

—La seva dona? La de la foto? —va intentar dir la Infermera.

—La seva dona morta vol les joies? —va preguntar l'Executiu amb cara de sorpresa. Va mirar el Nen, que també feia cara de no entendre res—. Vostè és boig, ben boig.

—Tu calla, que no saps res —va dir l'Home Coix caminant cap enrere amb la Infermera ben agafada. No era jove però tenia molta força—. La meva dona és morta per culpa de les joies: les vaig aconseguir massa tard. Ja no serveixen de res, però ella cada vespre parla amb mi, i ara em diu que les vol. Les vaig robar per a ella i són per a ella. Vosaltres dos, camineu cap enrere. Jo i la noia sortirem, ja la deixaré anar quan siguem fora.

—On anem? Sisplau, no em faci mal! —suplicava la Infermera.

—Ara que sabem qui és i on són les joies, les vol vendre i anar-se'n. Sap què? —va dir l'Executiu caminant cap al vell—. Que no em fa por. Vostè ja no és capaç ni de matar una mosca. Vull les joies. Si me les dóna no diré res a la policia. Si no, l'hi explicaré tot.

—No el facis enfadar, sisplau! —va plorar el Nen.

—Enrere! —va cridar el vell—. Enrere o la mato!

—No el contradiguis —va dir la Infermera—. Que vols que em mati?

—A mi no em fa por, aquest iaio! —va dir l'Executiu i, ràpid com un llamp, va agafar una mà de la noia.

El vell, però, encara va ser més ràpid: va apartar la Infermera cap a un cantó, va fer un pas endavant i va clavar el ganivet a l'Executiu, que no va tenir temps de tirar-se enrere. L'arma el va ferir. L'Executiu es va posar les dues mans a l'estómac i va caure de genolls. Tenia els ulls i la boca molt oberts, com un peix. Va provar de parlar, però les paraules no li van sortir. Un fil de sang li va caure de la boca i li va baixar pel coll. Després va caure a terra.

Capítol 11

~~~~~~

L'Home Coix mirava l'Executiu amb cara de sorpresa. L'home estava estirat a terra i la camisa blanca ja tenia una gran taca vermella. Encara respirava, però li costava molt.

—Què has fet, desgraciat! —va cridar la Infermera i de seguida es va agenollar al costat de l'Executiu. L'Home Coix la va deixar fer. La dona va mirar la ferida i va fer que no amb el cap—. Ha d'anar a l'hospital. Fa mala cara i pot morir-se.

L'Home Coix no deia res. A la mà dreta encara hi tenia el ganivet, llarg i ple de sang. Les joies eren escampades pel terra brut del pis. Sobre aquell terra de color grisós brillaven com estrelles. Al final va parlar amb veu segura.

—Tu, noi, recull les joies.

El Nen, nerviós i espantat, de seguida li va fer cas. Tremolava tant que les joies li queien de les mans. Va mirar la porta i va veure que hi era molt a prop: podia marxar corrent. Si era ràpid l'Home Coix no el podria agafar. Però quan va veure la Infermera al costat de l'Executiu va pensar que havia de quedar-se. Ella era valenta: en comptes de provar d'escapar-se es quedava per ajudar un del grup que gairebé no coneixia. Ell no podia deixar-la sola. Va acabar de recollir les joies i les va deixar dins la caixa.

—Està fotut? —va preguntar el Nen a la noia.
—No sé on és exactament la ferida. Potser és a l'estómac. Si és al fetge no podrà salvar-se. Perd molta sang. Necessito cotó fluix o benes. Vés al lavabo a veure si en trobes.

El Nen va anar de pressa al lavabo i va tornar al cap d'uns quants segons amb una farmaciola.

—Es morirà. Es morirà per culpa teva! —va dir la Infermera mentre buidava l'ampolla d'alcohol sobre la ferida per netejar-la. L'Executiu va fer un crit llarg i fort, i fins i tot l'Home Coix va tancar els ulls—. No tens iode? Això li fa molt mal. Necessito iode!

—Ella també cridava quan els metges la curaven. Sempre cridava! —va dir l'Home Coix sense mirar ningú—. Cada nit sento els seus crits. Em diu que no la vaig ajudar, que per culpa meva es va morir. Perquè vaig aconseguir les joies massa tard.

La Infermera i el Nen tenien por. L'Home Coix els podia ferir o matar i era impossible de raonar-hi. Vivia en un altre món. L'Executiu tenia els ulls plens de llàgrimes i la pell de la cara molt blanca. Semblava un home a punt de morir.

—Sí, sí, ara te les porto, amor meu. Ja vinc! —va dir l'Home Coix mirant la fotografia en blanc i negre de la seva dona—. Doneu-me les joies!

—Té les maleïdes joies i vés-te'n! —va cridar el Nen i va donar un cop de peu a la caixa.

—Si no truquem a una ambulància ara mateix aquest home es morirà —va dir la Infermera, mentre buscava el mòbil a la bossa que tenia al damunt del sofà.

Quan l'Home Coix va veure que la Infermera tenia el mòbil s'hi va acostar i li va posar el ganivet a l'esquena.

—Aixeca't. Dóna'm el telèfon —va cridar l'Home Coix fora de si. Semblava una altra persona.

Quan ella va sentir el ganivet a l'esquena es va girar de cop i va notar com se li clavava al costat. Primer va costar una mica però després l'arma va entrar fàcilment. Va fer un crit molt fort i va caure a terra sense sentits. El Nen va agafar la Nuca, es va amagar darrere del sofà i va començar a xisclar.

—Volia fer servir les joies per curar la meva dona i no hi vaig ser a temps. Però ara ja sé què he de fer amb aquesta caixa. Ja sé on l'he de dur. Les joies no són de la Maria Vallcoberta ni són meves.

Tampoc són vostres: són de la meva dona. Les vaig robar per a ella i ara les hi donaré. Ara si les hi porto, potser em perdonarà —va dir l'Home Coix abans de sortir del pis amb la caixa.

Després d'això, silenci. El Nen va estar molta estona estirat darrere del sofà sense dir res i amb els ulls tancats. Al final es va aixecar i es va acostar a la Infermera i a l'Executiu. Potser eren morts. Va mirar els cossos i es va marejar una mica. A les pel·lícules veia molts morts, però trobar-ne de veritat l'espantava i el feia sentir malament. El terra del pis estava cobert de sang, que tenia un color molt fosc, quasi negre. La sang no era vermella com a les pel·lícules. Va buscar el mòbil i va marcar el número de la policia.

De cop es va sentir molt marejat, esgotat, tot girava molt de pressa i l'aire era molt espès. Sentia com la policia parlava, però no entenia què deia. Va notar els braços molt pesants i les cames fluixes, com de mantega, i es va desmaiar.

CAPÍTOL 12

La Infermera va despertar-se i no va saber on era. L'habitació era petita, molt blanca, tenia força llum i feia una olor molt coneguda: era en un hospital. Duia una bata prima de color blanc. Al costat del llit va veure un metge amb una barba grisa i un agent de policia vestit amb l'uniforme de color blau marí. Era un home alt i gros, i va sentir una esgarrifança quan va veure que duia pistola.

—Bon dia —va dir el metge amb veu amable—. Com es troba?

—On... —va intentar dir la noia. Li feia mal el costat i tenia molta set—. Aigua, aigua...

—És clar que sí! —li va dir el doctor, posant-li aigua en un petit got de plàstic blanc.

La noia se la va beure d'un sol glop i va demanar-ne més. Es va trobar una mica millor i va preguntar:

—Què hi faig aquí? —va preguntar.

—La van ferir. L'hem hagut d'operar. Està bé, però necessita quedar-se a l'hospital uns quants dies.

—Operar?

—Sí, ahir. Tenia una ferida fonda. Tot el matí ha dormit a causa de l'anestèsia.

Quan el metge li va explicar que tenia una ferida va recordar l'escena del dia anterior.

—I l'altre ferit? —va preguntar la Infermera.

—En Raül Negre va perdre molta sang, però viurà. Es quedarà aquí un temps, però es posarà bé. És a l'habitació del costat. Ara dorm, però demà el podrà anar a visitar, si vol.

—I el noi? Com està?

—Vol dir en Pau Esteve, suposo. En Pau està perfectament, no pateixi. Aquest matí li han donat l'alta. No té ni una rascada. Però ara no és moment de parlar-ne. Descansi. Passaré més tard.

La noia es va sentir una mica més animada.

—Què en saben de l'home que ens va ferir? Vull dir el propietari del pis... —va demanar la Infermera.

El policia era un home malcarat. Va fer cara d'estar enfadat i va dir:

—Ara no hi pensi. Ja passaré més tard per fer-li algunes preguntes.
—Millor. Ara li convé descansar —va dir el metge.
—Puc fumar? —va preguntar de sobte la Infermera. Es trobava malament, però necessitava una cigarreta.

El metge es va posar a riure.

—És molt de la broma, vostè! Té una ferida important: de debò que vol fumar?

La Infermera es va adonar que allò era una ximpleria i es va posar vermella.

—Quan tornaré a casa? —va demanar.

El metge de la barba grisa va obrir una carpeta que tenia a la mà i va llegir un paper que hi havia dins.

—Si tot va bé demà o demà passat ja podrà anar cap a casa. Ha tingut sort: era una ferida molt neta.

Els dos homes van sortir de l'habitació i la Infermera es va quedar mirant el sostre. Al cap de poca estona ja dormia una altra vegada. Va tenir malsons: va somiar ganivets, joies, sang, molta sang. Plovia sang del cel i ella no trobava cap lloc per amagar-se. Es va despertar suada i al costat del llit hi va veure el Nen.

—Hola —va dir ell—. Has dormit malament?
—He tingut un malson.

El Nen va fer que sí amb el cap. Ell també en tenia, de malsons. Es preguntava si en tindria per sempre més. Per fer marxar aquests pensaments va dir:

—Abans he parlat amb la policia.
—Què en saben?

El Nen va mirar a terra. Semblava molt fotut.

—Recordes què va passar?
—Sí. Saps qui hi ha a l'habitació del costat?

El Nen va moure el cap: ja ho sabia, però tampoc volia visitar l'Executiu.

—La policia va trobar l'home coix.
—On era? —va voler saber la noia.
—Estava desorientat i histèric, però va poder arribar fins al cementiri. Duia la caixa amb les joies i va deixar-les sobre la tomba de la seva dona. Quan la gent que era al cementiri el van veure, cridant i plorant, van trucar a la policia. Quan la policia va arribar el van trobar estirat sobre la tomba. Diuen que parlava amb la seva dona en veu alta i cridava «Perdona'm, perdona'm». Ara és a comissaria. Quan surti potser anirà a la presó. O potser el duran a un psiquiàtric.
—I la meva gossa? On és la Nuca?
—La tinc jo —va dir el Nen—. També tinc en Roy i el gos de l'home coix.
—Tens quatre gossos al teu pis?
—No visc en un pis, visc en una casa amb pati. Allà estan molt bé. Al meu pare li agraden molt els animals; em penso que li agraden més que les persones. Ara em vol fer content i em vol animar, i m'ajuda a cuidar els gossos. Està molt preocupat per mi per tot això que ha passat i s'esforça molt a ser agradable; feia temps que no el veia tan amable.
—Em sembla que la meva gossa està malalta. Pobra Nuca.
—Sí, però no és res. El pare diu que té cucs a la panxa. És normal, passa a tots els gossos que beuen aigua del riu. Li donarem pastilles i li passarà. Quan surtis de l'hospital vine a casa meva i te la tornaré. Segur que ja estarà curada.

—Gràcies.

De cop va recordar una cosa.

—I les joies? Qui té la caixa?

El Nen va fer un somriure trist.

—Les té la policia.
—Les tornaran a la germana de la Maria?
—No ho sé. Potser es quedaran per sempre més en un armari. És trist, oi? Però aquest matí un periodista volia parlar amb mi. Li he dit que no, però em sembla que demà sortirem al diari.

La Infermera va provar de riure i no va poder. Va mirar la tauleta de nit i va veure que l'ampolla d'aigua era buida.

—Em pots fer un altre favor?
—És clar.
—Compra una ampolla d'aigua a la màquina, sisplau. Ja te la pagaré.
—Tranquil·la —va dir el Nen sortint de l'habitació.
—Gràcies una altra vegada, Pau.

El Nen es va quedar quiet de cop. Es va girar a poc a poc i li va somriure.

—Com és que saps el meu nom?
—Me l'ha dit el metge.
—Ja... —va dir el Nen—. Jo no sé com et dius tu.

La noia va somriure.

—No. I no m'ho preguntaràs?

Al Nen se li va escapar el riure. Aquella noia era més o menys la seva amiga. De les poques amigues que tenia a la vida real.

—És clar que sí. Com et dius?